À la recherche de l'humain

Catalogage avant publication de Bibliothèque et Archives Canada

Chaput, Jean-Marc

    À la recherche de l'humain

    (Collection Psychologie)

    Publ. à l'origine dans la coll. : Deux temps, trois mouvements.

    Sainte-Marie-de-Beauce : Québec Agenda, c1988.

    ISBN 2-7640-1065-6

    1. Morale pratique. 2. Réalisation de soi. 3. Bonheur. 4. Amour. I. Titre.
II. Collection : Collection Psychologie (Éditions Quebecor).

BJ1582.C43 2006   170'.44   C2006-940744-4

LES ÉDITIONS QUEBECOR
Une division de Éditions Quebecor Média inc.
7, chemin Bates
Outremont (Québec)
H2V 4V7
Tél. : 514 270-1746
www.quebecoreditions.com

© 2006, Les Éditions Quebecor
Bibliothèque et Archives Canada

Éditeur : Jacques Simard
Conception de la couverture : Bernard Langlois
Illustration de la couverture : David Weisman/Images.com/Corbis
Révision : Jocelyne Cormier
Conception graphique : Jocelyn Malette
Infographie : Claude Bergeron

Nous reconnaissons l'aide financière du gouvernement du Canada par l'entremise du Programme d'aide au développement de l'industrie de l'édition (PADIÉ) pour nos activités d'édition.

Gouvernement du Québec – Programme de crédit d'impôt pour l'édition de livres – Gestion SODEC.

Imprimé au Canada

JEAN-MARC **CHAPUT**

À la recherche de l'humain

LES ÉDITIONS
Quebecor
QUEBECOR MEDIA

À celle qui m'a accompagné pendant la plus grande partie de ma vie, me faisant grandir en étant, pendant plus de cinquante ans, l'amie, l'amante, la mère de mes enfants, l'épouse, et tout cela en même temps.

À Céline (maman pour les intimes), qui a su être là aux temps heureux et aux temps difficiles, ce résumé de nos nombreuses conversations au déjeuner !

Avant-propos

J'ai le goût de dire : « Je suis toujours à la recherche de l'humain ! » Mais je dois avouer que je trouve de plus en plus de réponses. Je vois des gens qui sont convaincus que le bonheur n'est pas dans la performance à tout prix ou dans l'accumulation de richesses, de biens, et ce, de façon totalement débridée. Je rencontre de plus en plus de gens, jeunes et vieux, qui croient toujours à la magie de la vie.

J'ai commencé à la fin des années 1980 à chercher ce qui fait que les gens découvrent le bonheur. Puis, au milieu des années 1990, j'ai publié une deuxième fois l'état de mes recherches en rééditant mes réponses à la question : Qu'est-ce qui rend l'homme heureux ?

Me revoici en 2006 pour publier une troisième fois mes découvertes. Oh ! pas scientifiques, loin de là, mais toutes empreintes de la sagesse des ans. J'avais 59 ans à la première édition et 19 ans d'expérience dans le métier de conférencier marginal qui se pose les bonnes questions, pas les comment, mais les pourquoi. J'avais 62 ans quand la deuxième édition est parue, et maintenant celle-ci, à 75 ans, avec 36 ans de conférences derrière la cravate !

La même recherche de l'humain toujours, mais avec des réponses plus au goût de ce début de XXIᵉ siècle. L'homme que je suis a vieilli depuis 1989, quand paraissait pour la première fois ce titre. Il croit toujours et de plus en plus qu'il rationalise trop ! Qu'il pense trop ! Il aurait avantage à être plus lui-même, à se laisser aller à son intuition qui, elle, se trompe beaucoup moins souvent que la tête qui voudrait tout structurer, y compris la vie elle-même.

J'ai conservé beaucoup de mes histoires des première et deuxième éditions, mais j'y ai ajouté plus de cinquante merveilleux exemples qui tentent d'illustrer ce que moi, Jean-Marc, pense être un humain qui a trouvé un peu de bonheur. Je me trompe peut-être de réponses. Vous avez droit à vos réponses, cher lecteur. L'important, ce n'est pas que vous acceptiez ce que j'ai écrit comme des paroles d'évangile, bien au contraire. C'est plutôt que vous répondiez pour vous à toutes les questions que je tente de soulever.

Chaque humain a ses propres réponses à ce qu'est un être heureux. Il importe que chacun trouve les siennes, car c'est là sa vérité. C'est la plus importante pour lui et pour la communauté des êtres vivant sur terre. Il n'y a pas qu'une bonne réponse ; il y a la tienne et celle des autres, ceux que tu côtoies tous les jours, ceux que tu vois de loin… Mais il n'y a qu'une loi universelle : nous sommes tous à la recherche de l'humain, en nous d'abord et autour ensuite ! Pourquoi ne pas commencer aujourd'hui ?

Bonne lecture !

Chapitre 1
Les questions vitales

Que voulez-vous ? Que cherchez-vous ? Qu'attendez-vous de la vie ?

Voilà des questions qui ont toujours habité l'homme. Et elles m'habitent encore après plus de soixante-quinze ans sur cette terre. Comme l'écrivait Nicole Plante, thérapeute en relation d'aide, dans *Le Devoir* du 19 mai 2006 : « Le sens, c'est quelque chose de viscéral. On trouve le sens de quelque chose après l'avoir digéré. Les gens qui vont au bout d'une épreuve en trouveront le sens après. Tant qu'on n'a pas trouvé de sens, on reste victime des événements extérieurs. Il faut accepter le fait que la vie n'est pas facile pour trouver les moyens d'y faire face et lui donner un sens. »

J'ose espérer avoir aujourd'hui à partager avec vous un début de réponse à ces questions existentielles. Ce n'est pas aussi facile que l'on serait tenté de le croire. En plus de trente-six années de métier comme conférencier partout au Québec, au Canada et aux États-Unis, je n'ai cessé d'interroger les gens, tant ceux qui sont très instruits que ceux qui le sont moins, et nulle part la réponse n'est venue avec la clarté et l'assurance d'une conviction. C'est une quête que chacun de nous doit poursuivre.

Je me suis demandé alors si la meilleure façon d'obtenir des réponses claires n'était pas de poser ma question de façon plus précise. Toutefois, quand je procède de cette façon, on me répond souvent par de simples clichés qui, en soi, ne veulent rien dire. Argent, succès, confort, sécurité, bien-être, autant de réponses qui ne semblent pas nous rendre justice. Les gens sont-ils si peu soucieux d'une question qui les concerne d'aussi près, qui engage pourtant jusqu'à leurs propres valeurs humaines ? Non. Et même au contraire ! C'est que les gens, tout simplement, répondent avec ce qu'ils connaissent de la vie, avec ce que l'éducation leur a transmis. Au point qu'ils en arrivent à confondre ce qu'ils recherchent du fond du cœur, comme humains, avec des images, des modèles inculqués par la société.

Beaucoup de grands mythes se sont enracinés de cette façon dans nos habitudes d'agir et de penser. Résultat : nous croyons parfois vouloir des choses qu'au fond nous ne voulons pas, et négligeons des aspects de nous-mêmes qui pourraient nous rendre la vie plus passionnante, plus engageante... plus humaine !

Les savants appellent cela des paradigmes, des espèces de principes que l'on érige en règle d'or et que personne ne doit remettre en question. On me parle souvent du monde des affaires comme un monde cynique où la seule règle qui vaille est celle de réaliser des profits, de faire de l'argent à n'importe quel prix. C'est établi, c'est comme ça, on ne peut rien y faire.

Pourtant, une femme, en Angleterre, Anita Roddick, a remis en question cette façon de voir les affaires. Elle a fondé une chaîne internationale de magasins de cosmétiques (The Body Shop) qu'elle vient d'ailleurs de vendre en 2006. Elle a ouvert sa première boutique dans la petite ville de Brighton, en

Angleterre, en 1976. Dans son livre *Body and Soul*, publié en 1991, elle raconte qu'elle s'est posé de vraies questions : « Qu'est-ce que je veux de la vie, de ma vie en affaires ? » Elle a trouvé sa réponse : « Le sens de s'amuser (en affaires) est perdu, le sens du jeu, le sens de dire : "Oh ! mon Dieu ! On s'est trompé !" Je vois les affaires comme un concept de renaissance, où l'esprit, l'âme humaine entrent en jeu. Comment relever le niveau de l'esprit quand vous vendez une crème hydratante ? C'est tout ce que nous faisons durant et après la fabrication. Cela commence par la façon avec laquelle on voit les ingrédients. C'est l'initiative, le soin et l'excitation. Cela vient de l'éducation et du fait de briser les règles établies. Et laissez-moi vous dire que les esprits s'échauffent – Dieu que cela chauffe – quand vous créez des produits qui servent à la vie, qui font que les gens se sentent mieux et que ces produits ne sont fabriqués qu'avec des ingrédients naturels ; aucun produit chimique n'entre dans la recette de fabrication. J'en connais maintenant beaucoup plus sur les cosmétiques grâce à cela. On peut faire des affaires de façon humaine pourvu que l'on se pose les bonnes questions : Que voulez-vous ? Qu'attendez-vous de la vie ? »

Pourquoi ce livre ?

Certes, je n'ai pas écrit ce livre pour vous dire quoi et comment penser, quoi faire dans la vie et pourquoi vous devriez le faire. Je voudrais plutôt vous éveiller à la réflexion. À vous de penser par la suite.

Dans son dernier livre publié en 1987, *La bombe et l'orchidée*, juste avant sa mort, Fernand Seguin disait : « J'aimerais que l'on invente, pour les livres de réflexion, ce qu'on pourrait appeler le point de réflexion, qui se placerait à la fin d'une phrase... un espace de liberté, de rêve, et qui permette à l'esprit de s'échapper du livre... d'ajouter ses réflexions personnelles. » Eh bien ! mon livre se veut dans le même esprit.

C'est une occasion de rêver, de laisser aller vos pensées en toute liberté pour réapprendre à vous découvrir, à explorer des facettes de votre personne qui gagneraient à être exploitées.

C'est aussi un livre qui vous fera sourire ou réfléchir sur des sujets graves ; un portrait de la mentalité d'aujourd'hui et de son côté parfois inhumain. Comment vous retrouver à travers cette mentalité ? Comment revenir à une vision à la fois plus réaliste et plus optimiste de la vie ?

Dans un film américain, *La société des poètes disparus*, le jeune professeur ordonne à tous ses élèves de monter sur le pupitre du maître à l'avant de la classe pour voir le monde d'un point de vue différent. Ce que vous propose cet ouvrage, c'est exactement la même démarche : monter sur la table pour examiner votre vie de façon différente. Il n'y a qu'une personne qui puisse le faire, et c'est vous ! Le livre n'est là que pour être une bougie d'allumage, un prétexte à penser plus loin, bien calé dans votre fauteuil.

Un livre simple, comme la vie

La vie est-elle compliquée au point que vous deviez vous dispenser d'y réfléchir et laisser les autres, les savants, les spécialistes et les dirigeants politiques répondre pour vous à des questions vitales ?

✳ ✳ ✳

Un homme eut un jour une crevaison non loin d'une maison qui hébergeait des handicapés mentaux. Il arrêta sa voiture devant la grille contre laquelle un des patients s'était appuyé pour contempler la scène. Pas du tout impressionné, l'homme entreprit de changer sa roue comme il en avait l'habitude. Mais au moment de remettre les quatre boulons sur la nouvelle roue, il s'aperçut que ces derniers manquaient et qu'il les avait sans doute perdus dans l'herbe. Il chercha, mais en vain ! Amusé, le malade contemplait toujours le spectacle. Puis, voyant que l'homme était au bord du découragement, il se décida à intervenir :

« Je pourrais vous aider, dit-il à l'homme qui se retourna d'un air sceptique.

– Comment ? fit ce dernier. J'ai perdu mes quatre boulons. À part marcher jusqu'au prochain garage, je ne vois pas d'autre solution…

– C'est pourtant simple, répliqua le type. Vous n'avez qu'à retirer un seul boulon à chacune des trois autres roues et à les mettre sur celle-ci. Ça vous fera trois boulons pour chaque roue, et ce sera plus que suffisant pour rouler jusqu'au prochain garage.

L'homme se frappa le front.

– Je n'en reviens pas, dit-il. Vous êtes génial. C'est moi qui devrais être derrière cette grille, pas vous ! »

Cette anecdote montre bien qu'indépendamment du fait que vous soyez directeur de compagnie, professeur, médecin, spécialiste, mère de famille, technicien ou même un patient derrière la grille d'un hôpital, il y a des questions auxquelles chacun de nous peut répondre, et des problèmes communs que nous sommes tous capables de résoudre. À plus forte raison si, au lieu de parler de boulons perdus dans l'herbe, vous soulevez la question universelle de savoir quelle vie vous souhaitez mener dans ce monde et quelles valeurs vous êtes prêt à défendre.

Pourquoi se compliquer la vie ?

Ces dernières années, notre société s'est compartimentée en d'innombrables spécialités de toutes sortes. C'est devenu une fierté de montrer ainsi à la face du monde à quel point on est borné, à quel point on a peine à voir plus loin que le bout de son nez, de sa petite spécialité. On semble oublier ce que l'on voulait obtenir : on a perdu de vue l'ensemble de notre activité.

Pierre Foglia, dans *La Presse* du jeudi 2 avril 1998, nous donne un bon exemple d'un système qui devient le maître à bord et qui mène la vie des humains. En fait, il nous parle du système qui a atteint sa propre logique complètement déconnectée de la réalité, complètement à l'encontre de ce que l'on cherchait au départ. Voici ce qu'il écrivait : « Au début, arrivent des gens avec des bonnes intentions. Ou des nouvelles thérapies. Ou des nouvelles technologies. Ou tout ça en même temps. Ces gens organisent, planifient, normalisent une nouvelle façon de fonctionner. Voilà le système en place. Un système totalement dévoué aux gens qu'il doit servir. Au début. Sauf que très rapidement, fouille-moi pourquoi, le système cesse de servir et défendre les gens pour servir et défendre son propre appareil. Ses fonctionnaires. Ses normes. Son programme. Ses directives.

« Concrètement, cela veut dire qu'au début, on faisait faire un tour d'autobus au grand handicapé parce que ça lui faisait du bien… Plus tard, on lui fera faire ce même tour d'autobus parce c'est au programme. Parce que c'est la norme. Parce que ça donne de la job à des préposés, et à un chauffeur d'autobus. Et si ce matin-là le grand handicapé n'a pas envie de faire un tour d'autobus, on s'en contrecrisse. Il n'a pas un mot à dire. C'est à l'horaire de sa réinsertion. »

Le système a maintenant sa propre vie, sa propre autonomie. Un spécialiste pourra alors se vanter d'avoir aidé la société en créant ce service.

Et cette spécialisation, qui vire parfois au ridicule, a eu pour conséquence de nous donner une vision faussement compliquée de la vie. Voilà peut-être pourquoi nous craignons si souvent d'aller au fond des choses.

Nous avons la curieuse habitude de confondre le mot « compliqué » avec le mot « difficile », et le mot « simple » avec le mot « facile ». Pourtant, même si courir un marathon est une chose relativement simple, réussir l'exploit n'en est pas moins difficile. Avaler une cuillerée d'huile de castor est la chose la plus simple qui soit, mais essayez-le et vous m'en donnerez des nouvelles !

Les gens d'aujourd'hui se plaignent pourtant de mener une vie compliquée, mais nous admettons tous qu'il est autrement plus facile de se compliquer l'existence que de se la simplifier. Il s'agit d'avoir un système, comme l'écrivait Foglia.

« C'est compliqué » : voilà l'excuse la plus courante que nous invoquons soit pour nous décharger de nos responsabilités, soit pour expliquer les mauvaises périodes qu'il nous arrive de traverser dans notre vie professionnelle comme dans notre vie privée. Dès qu'un mariage montre des signes d'affaiblissement, les époux prétendent que leur relation se complique et que c'est la raison première de leur malaise. Le phénomène est classique et se répand comme une épidémie, au point qu'aujourd'hui un grand nombre d'individus hésitent à fonder une entreprise sous prétexte que « la procédure est compliquée », à se marier sous prétexte que « ça complique les relations entre hommes et femmes », à faire des enfants sous prétexte qu'« il est compliqué de les élever dans les conditions actuelles », et même à réfléchir sur le sens des choses sous prétexte que « ça leur reviendrait trop cher en aspirines » !

Avez-vous jamais songé, pourtant, que ces complications pourraient n'être que des apparences ? Qu'elles pourraient n'être qu'une fabulation de notre esprit, un pieux mensonge que nous nous faisons à nous-mêmes afin de repousser l'échéance de nos actes ?

La seule façon de marcher :
un pied devant l'autre !

Marcher est un acte simple que nous accomplissons sans même y penser. Il implique cependant une quantité incroyable, voire insondable de facteurs, comme la circulation sanguine, l'influx nerveux et le tonus musculaire. S'il nous fallait tenir compte de tous ces facteurs et les garder présents à l'esprit chaque fois que l'on sort faire une promenade, nous ne pourrions même plus mettre un pied devant l'autre.

La marche est le premier pas de danse que nous avons appris dans la vie. Mais pour apprivoiser cet art et le maîtriser à la perfection, il a fallu qu'il cesse d'être cérébral pour faire corps avec nous-mêmes.

Malgré tout ce que la science peut en dire, marcher est donc une activité simple : il suffit de vouloir le faire pour que tout le reste s'ensuive. Il en va souvent de même avec notre action en général, et même avec la pensée qui, après tout, est aussi un acte, celui qui précède tous les autres.

La vie est simple. Les gens qui pensent le contraire sont simplement plus occupés à tenter de l'expliquer qu'à la laisser s'exprimer.

Elle est simple, mais cela ne signifie pas pour autant qu'elle soit facile. Se lancer en affaires est au fond quelque chose de simple, mais qui demande un effort soutenu. Aimer quelqu'un est simple – l'amour est la simplicité même –, mais ce n'est pourtant pas une chose que l'on peut prendre à la légère, qui va de soi et qui peut se faire sans engagement de notre part.

Ce livre est simple, il ne renferme rien qui soit difficile à comprendre. Cependant, tout vous paraîtra incompréhensible si vous ne prenez pas l'engagement d'y réfléchir.

Et cette grande question, à savoir ce que nous voulons dans la vie, pour difficile qu'elle soit, n'en est pas moins simple elle non plus. Tout ce qu'elle implique, c'est la capacité de regarder les choses avec franchise et l'effort de remettre en question certains mythes qui ne servent qu'à nous compliquer l'existence.

Le mythe du succès

Un grand philosophe du nom de Ludwig Wittgenstein a dit un jour que le langage déguisait la pensée. J'ajouterais pour ma part qu'aucun mot n'a davantage déguisé la mienne que le mot « succès », au point que j'éprouve maintenant un grand besoin d'observer cette notion à la loupe. C'est quoi, le succès ? Ce que l'on amasse comme biens tout au long de notre séjour sur terre ? Sommes-nous des machines à faire des « piastres » ?

S'il est une chose qui nous obsède et que nous recherchons avidement, c'est bien cela. Mais à quoi le succès correspond-il vraiment ? N'y a-t-il pas une part de mythe dans la poursuite de ce succès qui devrait nous apporter le bonheur ?

Je côtoie des gens qui ont connu le succès et la célébrité, d'autres qui ont amassé des fortunes enviables, et très peu semblent avoir réussi à atteindre le bonheur.

Le journal *Le Devoir* du 15 avril 2006 racontait « un voyage au cœur d'un monde idéal ». Il s'agit du village d'Ogimi, au Japon, qui détient le record mondial de longévité. À l'entrée du village, on peut lire sur une plaque : « À 70 ans, on est encore un enfant et si on tente d'entrer au paradis à 90 ans, on se fait dire de revenir dans 10 ans. » À la journaliste qui demandait le secret de sa longévité à une femme de 104 ans avant qu'elle parte au travail – elle emballe des tangerines –, la vieille dame lui dit en la regardant dans les yeux : « Je suis heureuse ; j'ai toujours été heureuse. C'est ça qui me garde en santé… » Une autre dame, de 108 ans celle-là, répondit à la même question :

« Arrêtez de trop penser. Arrêtez de vous faire des soucis. Profitez de chaque instant et vivez une vie authentique et non pas superficielle. »

Après avoir lu cela, quel est le succès qui pourrait mener au bonheur ? Peut-on parler de succès dans le cas de ces centenaires ? Ils n'ont rien accumulé comme biens, comme richesse. En fait, ce village fait partie de la préfecture d'Okinawa, la plus pauvre de tout le Japon. Le succès, à mon avis, n'est pas une question de richesse que l'on peut chiffrer.

Des chiffres qui disent n'importe quoi

On doit toutefois constater que le succès est souvent une affaire de chiffres. On ne peut le concevoir autrement qu'en quantité. Il n'est pas de succès, paraît-il, qui ne puisse se mesurer. Que dire alors des habitants de ce petit village japonais qui vivent à cultiver leur jardin, avec des besoins très limités ? Ils comptent très peu. Ont-ils du succès, ou tout simplement du bonheur ? Le bonheur n'est-il qu'une vulgaire question de rendement ou de performance ?

On doit avouer malgré tout que les chiffres permettent de savoir si on a réussi, si on a atteint le succès. Pourrions-nous reconnaître le talent des Yves Beauchemin, Marie Laberge ou Michel Tremblay si l'on ignorait que leurs derniers romans se sont vendus à des centaines de milliers d'exemplaires ? Pourrions-nous reconnaître le talent de nos artistes sans les milliers de CD vendus, les milliers de billets vendus à la porte de leurs spectacles ? Prendrions-nous au sérieux un ami qui se prétend professionnel alors qu'il ne gagne qu'un salaire très modeste ?

Notre tendance à tout juger par des chiffres ne nous permet guère de répondre à la question : C'est quoi, le succès ? Et je suis convaincu que certaines personnes seraient embarrassées si on leur demandait de tracer un bilan de leur réussite professionnelle sans mentionner de chiffres, sans parler de leurs progrès salariaux ou de leurs gains financiers. Il vaut peut-être la peine de l'essayer ! Non !

Seriez-vous capable d'écrire votre conception du succès dans la marge sans faire allusion à votre compte bancaire ? Aujourd'hui, le succès ne se mesure pas à ce qu'on fait, mais souvent à ce qu'on obtient.

Et la question cruciale est de savoir si ce qu'on fait pour l'obtenir a aussi son importance, si on doit mettre les critères d'efficacité, de rendement et de popularité au-dessus de toute autre valeur.

On peut tout réussir, en bien comme en mal. Après tout, si l'essentiel du succès est de traduire notre efficacité dans la vie, il est vrai que l'on peut tout réussir. Si l'on travaille à se rendre malheureux, on devrait logiquement s'estimer satisfait d'avoir atteint son but et d'être vraiment malheureux. Par ailleurs, si on travaille à amasser de l'argent, on devrait de la même façon s'estimer satisfait de ne recevoir rien d'autre de l'existence qu'un compte bancaire bien garni.

Or, ce ne semble pas être le cas. Mon expérience de la vie et des gens m'a prouvé qu'il était plus facile d'atteindre une réussite que d'atteindre un état de bonheur. Elle m'a aussi montré que cela provenait souvent du fait que nous acceptons des choses, que nous nous laissons entraîner par les circonstances sans prendre la peine de nous poser les bonnes questions, les questions personnelles qui sauraient engager notre qualité d'humain : celles de savoir non pas *comment* faire les choses, mais plutôt *pourquoi* nous les faisons.

La phobie des *pourquoi*

Pourquoi ? Pour qui ? Pour en arriver où ? Voilà les vraies questions. Mais on a la phobie des *pourquoi*, peut-être une peur innée, inconsciente, de la réponse !

Pourquoi, mon Dieu, avons-nous si peur de ce mot alors que nous sommes si empressés de savoir *comment* ? On cherche constamment des recettes.

* * *

Un après-midi, un fils entre à la maison comme un ouragan pour annoncer à son père qu'il a pris la décision de se marier.

« Papa ! C'est décidé, je me marie.

Mais le père, impassible, se gratte la tête et répond d'une voix calme :

– Bravo ! Félicitations ! Mais pourquoi ?

– Comment ça, pourquoi ? s'exclame le fils. Toi, tu t'es bien marié.

Pour toute réponse, un sourire amusé. Alors le fils reprend, d'une voix hésitante :

– D'ailleurs, c'est bien simple : on se marie pour avoir des enfants.

– Pourtant, réplique le père, j'en connais qui ne sont pas mariés et qui font quand même des petits.

– Oui, mais il y a le contrat de mariage, le partage des meubles, de la maison, les clauses légales. »

Puis, voyant que son père l'écoute avec un sourire ironique, le fils se tait. Fin de la conversation !

Qu'auriez-vous dit à la place du père ?

Je me souviens du jour où l'on passa devant le notaire, Céline – celle qui allait être ma femme – et moi. En me montrant le fameux contrat, le notaire insista sur le fait que j'aurais, en tant qu'époux, une somme assez rondelette à verser à mon épouse. Je lui dis, en retournant les poches de mon pantalon : « Tu peux tout lui donner ! Je n'ai rien qui m'appartienne. » En ce temps-là, ma pauvreté simplifiait de beaucoup les procédures ! J'étais un étudiant qui peinait à joindre les deux bouts.

Mais ce qui rendait l'idée du mariage si évidente pour ma femme et moi, c'était l'engagement qu'il représentait. Nous nous sommes mariés car nous tenions à nous engager l'un envers l'autre, et ce, par amour, rien d'autre. On s'aimait. Tout simplement.

Chaque jour, des couples divorcent en prétendant que le mariage ne veut plus rien dire pour eux. Ont-ils jamais cherché à savoir ce que signifiait leur mariage ? Se sont-ils jamais posé la question avant d'échanger leurs bagues ? A-t-on demandé pourquoi ?

Même chose pour chacun de nous : avons-nous le courage de nous interroger sur nos actes ?

Pourtant, rien n'est aussi simple et naturel que de se demander non seulement comment mais surtout pourquoi. Les enfants se posent tous les jours ce genre de questions. Une de mes petites-filles ne laisse pratiquement rien passer sans demander : « Pourquoi ? » Pourquoi faire de l'argent ? Pourquoi faire ce travail ? Pourquoi acheter cette maison ? Dans sa logique d'enfant, elle a compris que le *comment* n'apportera pas grand-chose si vous ne répondez pas d'abord au *pourquoi*.

Les adultes ont renversé cette logique, il me semble. Ils se marient pour se marier, font des enfants pour faire des enfants, gagnent de l'argent pour être plus riches et travaillent pour un salaire qu'ils veulent de plus en plus élevé.

* * *

On raconte qu'un jour un riche entrepreneur se reposait sur une plage des Caraïbes. Il surveillait depuis plusieurs minutes un jeune pêcheur qui plaçait dans une caisse ses quelques prises du matin. L'approchant, il lui demanda si c'était là les prises moyennes d'un avant-midi de travail. « Oui ! répondit le jeune homme, mais je retournerai étendre mes filets à la fin du jour et prendrai environ la même quantité de poissons. » Après lui avoir demandé quelle serait la recette de cette journée, l'homme d'affaires lui dit qu'il devait, à son âge, avoir plus d'ambition et que peut-être en pêchant plus longtemps le matin et le soir, il pourrait doubler ses revenus quotidiens. De là, il pourrait acheter une autre embarcation et, avec un employé payé à salaire fixe, augmenter encore les recettes. Passant à trois, puis à quatre, à cinq, même à six embarcations, il pourrait un jour justifier un entrepôt frigorifique et ainsi conserver son poisson pour l'expédier sur les marchés internationaux. « Et après ? » demanda le jeune homme, intrigué. « Vous serez très riche, mon ami. Vous pourrez avec vos revenus vous payer de magnifiques vacances sur les plus belles plages du monde », lui répondit le vacancier. « Mais, mon cher monsieur, c'est ce que je fais actuellement à discourir avec vous, les deux pieds dans le sable chaud, et je n'ai pas besoin de faire tous ces détours pour y arriver ! »

Qui avait raison ? L'homme d'affaires prospère, ou ce jeune homme des îles qui profitait de son beau pays à l'année longue ? À chacun de nous d'y répondre !

D'ailleurs, pourquoi avez-vous acheté ce livre ? Vous êtes-vous seulement posé la question avant d'entrer chez le libraire ?

Pourquoi habitez-vous dans ce pays ? dans cette ville ? dans cette rue ? Est-ce que cela vous plaît ?

Pourquoi travaillez-vous dans ce domaine plutôt que dans tel autre ? dans cette compagnie plutôt qu'ailleurs ?

Les statistiques ont démontré qu'en Amérique du Nord, près de 95 % des gens travaillent dans une entreprise moins par choix personnel qu'en raison d'un éventuel poste à combler. Et même 55 % sont mécontents de leur emploi. De ce fait, 95 % des gens n'auraient fait qu'attendre le départ de leur prédécesseur pour prendre sa place. Et l'on pourrait ajouter à ces statistiques qu'une fois en place, la majorité d'entre eux adoptent une attitude passive et se contentent de suivre une routine bien ancrée sans rien remettre en question !

Faites-vous partie du 5 % qui a pris la peine de se demander *pourquoi* ou du 95 % qui n'a jamais osé le faire ?

Pourquoi travailles-tu ?

Dans le journal *La Presse* du 24 septembre 2003, on posait la question : Votre boulot vous rend-il heureux ? Il y a trois blocs de questions ; un premier permet de clarifier les mécontentements au travail ; un deuxième cherche à déterminer vos intérêts, vos goûts ; enfin, un troisième cherche à déterminer les objectifs qui rendraient heureux. Trois séries de questions, soixante et une questions en tout, et toutes des *pourquoi* !

* * *

Un jour, une mère se dépêchait au déjeuner pour ne pas arriver en retard au travail. Le père avait déjà quitté la maison. Seule la petite de sept ans traînait quelque peu les pieds.

« Dépêche-toi ! On va être en retard toutes les deux, lui cria la mère, exaspérée.

– Mais pourquoi tu travailles, maman ? Pourquoi ne demeures-tu pas à la maison ? lui demanda l'enfant.

– Mais c'est pour aider ton père. Tous les deux, on gagne de l'argent qui nous aide à payer cette grande maison où nous sommes tous heureux.

– Elle n'est pas à nous, la maison ? rétorqua l'enfant.

– Elle est à nous, mais elle sera définitivement à nous dans dix-sept ans et huit mois, répondit la mère.

– Mais, maman ! Je ne serai plus là dans dix-sept ans et huit mois, ajouta l'enfant, l'air inquiet et déçu. »

On passe sa vie à amasser des biens. Pourquoi ? Pour plus tard ! Pour demain ! Sans jamais s'arrêter et se demander si cela en vaut vraiment la peine.

L'homme qui creusait des « X »

Au chantier de la baie James, les ingénieurs avaient pris l'habitude de marquer avec des « X » les endroits où les ouvriers devaient creuser. Étant de passage dans ce coin sauvage, j'ai rencontré un homme qui creusait des trous, dans un épais nuage de poussière et un vacarme insupportable. Je me suis approché de lui, en me bouchant les narines.

« Tu parles d'un travail !

– Oui, c'est pas un cadeau ! s'est lamenté mon bonhomme en déposant son attirail. Si c'était pas pour l'argent, je m'en irais tout de suite.

– Je comprends. Mais pourquoi tu creuses ?

– Pourquoi je creuse ?

– Oui, pourquoi tu creuses là, à cet endroit ?

Il me montra des traces par terre autour du trou :

– C'est à cause du X ! »

J'ai regardé mon bonhomme, incrédule. Par la suite, un ingénieur m'apprit qu'il s'agissait de l'évacuateur de crue, et se lança dans des explications passionnantes. Mais cet homme n'avait jamais manié une *drill*, au contraire de mon ouvrier !

Pourquoi creusait-il ? Pour qui ? Pour en arriver à quoi ? Seul l'ingénieur avait les réponses.

Un Américain, un jour, a dit : « Les gens qui savent comment trouveront probablement toujours du travail : ils travailleront pour ceux qui savent pourquoi ! » Et j'ajouterais qu'en ce XXIe siècle, seuls ceux qui savent pourquoi auront du travail car les machines, elles, sauront comment faire le travail, ignorant pourquoi le faire.

Combien de choses faisons-nous à contrecœur sans même nous demander pourquoi ? Comment pouvons-nous alors les apprécier ou les remettre en perspective ?

Le mystère des quatre copies

Dans les classeurs de mon bureau, des dizaines de papiers illisibles s'empilent chaque semaine. C'est que, depuis des temps immémoriaux, les compagnies ont pris l'habitude de produire quatre copies carbone de chaque reçu, et de réserver celle du dessous pour le client. Un beau jour, j'ai voulu trancher le mystère auprès d'un employé de l'une de ces compagnies :

« Pourquoi quatre copies ?

– Quatre copies ?

– Oui, pourquoi pas deux ? Ma copie à moi n'est jamais lisible.

– Je regrette, monsieur, mais c'est parce qu'on les reçoit en paquet de quatre. »

Eurêka ! J'avais résolu mon mystère. Et s'ils les avaient reçues en paquet de mille ?

Encore une fois, la routine et l'habitude ! « Faire un pas de plus, affirmait le romancier Dostoïevski, dire un mot nouveau est ce dont nous sommes le plus effrayés. » Vous pourriez dresser à l'infini la liste des réponses que nous inspire la routine, et qui ne servent qu'à nous débarrasser des *pourquoi*.

Combien de fois le propriétaire d'un petit magasin se plaint-il que ses affaires vont mal parce qu'il est trop près du magasin à grande surface qui lui arrache toute sa clientèle ? Au contraire, celui qui est situé à l'autre bout du centre commercial se plaindra à son tour que les affaires vont mal parce qu'il en est trop loin. Il ne jouit pas de la grande circulation de clients que ces grands magasins attirent.

Une bonne majorité des vendeurs que j'ai la chance de rencontrer blâment, pour leur faible performance, le fait qu'ils sont cantonnés dans le mauvais territoire : Ils sont dans l'est, et c'est l'ouest qui est bon.

Le commerce à l'ombre fera faillite parce que les clients préfèrent magasiner au soleil, et le commerce sur le trottoir d'en face fera faillite parce que les gens préfèrent magasiner à l'ombre.

Un tel refusera un poste parce qu'il se croit trop vieux, et un autre parce qu'il se croit trop jeune.

Un tel refusera de s'engager dans une liaison amoureuse parce qu'il a déjà souffert d'une rupture, et un autre parce qu'il n'a jamais rien connu de semblable.

Un tel dira que le mauvais rendement d'un hôpital est la faute du système, un autre dira que c'est la faute du personnel.

Toutes ces réponses ont quelque chose en commun : le fatalisme, la victimisation. Elles nous excusent de rester les bras croisés et nous font sentir que nous ne sommes pas vraiment responsables de ce qui nous arrive, responsables au sens où nos ancêtres latins entendaient ce mot : capables de donner notre réponse.

Le bonheur : notre responsabilité

Ce n'est pas facile de donner sa réponse. Je suis le premier à l'admettre. Cela demande un effort, qu'on soit jeune et sans expérience ou qu'on ait atteint, comme moi, un âge certain. La responsabilité est une chose qu'on n'acquiert pas nécessairement avec les années.

Mais ce qui est dommage, ce n'est pas la crainte de ne pouvoir répondre aux *pourquoi* de la vie, mais plutôt la crainte de se poser la question elle-même. Car au fond rien ne va de soi. Rien n'est gratuit. L'argent ne va pas tout seul à votre portefeuille. Le travail qui vous a permis de le gagner, à son tour, n'est pas sans conséquences sur votre vie, sur votre milieu. La façon dont les gens vous traitent n'est pas étrangère à votre propre façon de les traiter. Ce que vous recevez de la vie n'est pas sans rapport avec ce que vous donnez. Et votre pouvoir de changer les choses qui vous déplaisent ou de faire durer celles qui vous plaisent est intimement lié à votre capacité à les comprendre.

Le mot « comprendre » veut dire prendre avec, c'est-à-dire faire soi, se donner la peine de l'incorporer à son être. C'est ce que l'histoire de la pompe à eau a toujours symbolisé pour moi. Sur la ferme, tous les printemps, on devait activer les pompes à eau pour abreuver le bétail, car on les avait fermées tard à l'automne. Et on le faisait toujours de la même façon : il fallait amorcer la pompe. En anglais, on dirait *primer* la pompe, c'est-à-dire mettre d'abord de l'eau dans la pompe si l'on veut qu'elle nous donne de l'eau par la suite. Jamais elle ne donnera de l'eau si on ne commence pas par lui en donner d'abord.

Mais c'est là l'histoire d'une vie. Qu'as-tu donné d'abord pour pouvoir recevoir par la suite ?

C'est toute l'histoire de la vie ! Il faut d'abord mettre du bonheur dans sa vie si on veut en recevoir en retour. Et on est le seul à pouvoir mettre ce qu'il faut dans sa vie pour que celle-ci nous rende heureux.

Cependant, notre éducation occidentale nous a malheureusement trop appris à rationaliser plutôt qu'à comprendre. Elle nous a convaincus que la vie était un ensemble de problèmes et de contraintes qu'il fallait résoudre avant d'aspirer à la tranquillité et au bonheur. Elle nous a incités à penser que le plus important n'était pas de savoir *pourquoi*, mais *comment* les choses se font, et que le bonheur n'était qu'une récompense qui venait en bout de ligne.

Était-ce vrai ? Doit-on attendre le paradis seulement à la fin de nos jours ? Quelle est votre réponse ?

Une multitude d'ouvrages sur le bonheur

Aucun sujet n'a suscité autant de recherches et d'ouvrages que le bonheur, en particulier en Amérique du Nord. Plus de 5000 livres et rapports ont été publiés sur la question, dont près des trois quarts au Canada et aux États-Unis.

Pendant plus de 20 ans, un chercheur américain du nom d'Alex Michalos[1] a étudié cette imposante documentation,

---

1. Cela fait 30 ans qu'Alex Michalos est en quête de la belle vie. Sa recherche sur la manière de mesurer le bonheur et d'améliorer la qualité de vie alliée à sa détermination tranquille d'appliquer les théories universitaires à des problèmes concrets lui ont valu la réputation de « citoyen-chercheur », de même que le respect de ses pairs et des dirigeants politiques du monde entier. Aujourd'hui, il reçoit le plus grand honneur du CRSH : la Médaille d'or pour ses réalisations en recherche. Quand le Pentagone a vu croître le taux de dépression et de stress parmi ses soldats, il a fait appel à Alex Michalos pour évaluer la

tout en se livrant lui-même à plusieurs enquêtes. Au terme de sa recherche, il en est finalement venu à la conclusion toute simple que le bonheur des gens ne dépend ni de la richesse ni même de la santé, mais qu'il est par-dessus tout une question de rapports humains. L'auriez-vous cru ?

Dans ce contexte, l'argent, le succès, et d'une certaine façon la santé ne sont que des moyens pour mieux raffermir nos liens avec les autres. Mais ces mêmes moyens peuvent aussi nous en détourner quand des préoccupations comme la peur de vieillir, les problèmes de santé, le compte bancaire ou la hantise du succès dominent de façon outrageuse notre attitude vis-à-vis des gens. Les études d'Alex Michalos ont démontré que, contrairement à l'opinion répandue, les hommes occupant des postes de grand prestige au sein de la société étaient dans l'ensemble moins heureux que la plupart des travailleurs. On leur a toujours dit qu'il n'y avait pas de sentiments en affaires, que pour grimper dans l'échelle sociale il fallait se battre et faire tomber des têtes, qu'il fallait tout donner pour atteindre le sommet. Et ces hommes ont commis l'erreur d'y croire.

Arrivés au sommet, que voient-ils ? Une situation qui ressemble étrangement à un *no man's land*. Ils ont négligé la qualité de leurs rapports humains et, souvent sans même s'en rendre compte, les ont évacués de leur vie. La plupart de ces gens avides d'ambition diront pourtant qu'ils ne voulaient pas en arriver là, que leur carrière les a obligés à négliger les autres et qu'ils attendaient de se libérer pour enfin revenir vers eux. Jamais à la fin de ses jours n'a-t-on entendu un homme d'affaires, ayant réussi à amasser des sommes phénoménales, regretter les bonnes

---

qualité de vie de ses militaires et de leurs familles. De même, le gouvernement mis en place en Afrique du Sud à la suite de l'apartheid lui a demandé de l'aider à évaluer et à améliorer la qualité de vie de ses citoyens. De l'Espagne à l'Australie, en passant par Hong Kong et la Colombie-Britannique, on admire M. Michalos pour sa compassion, son leadership sans prétention et sa détermination à partager ses connaissances pour le bien de tous. www.crsh.ca/web/winning/stories/goldmedal f.asp (site consulté le 2 mai 2006).

occasions manquées de faire de l'argent au cours de sa vie. Au contraire, ce qu'il regrette le plus, c'est d'avoir négligé ceux qu'il aimait, sa compagne de vie, ses enfants, ses amis. Malheureusement, les rapports humains ne font pas partie de ce qu'on peut faire attendre.

L'histoire de Stripe et Yellow

L'histoire de ces « bourreaux » d'ambition me rappelle celle de Stripe et Yellow, les deux petites chenilles. La fable est longue, mais elle vaut le détour !

Un jour, Stripe et Yellow rencontrent d'autres chenilles rampant à la queue leu leu. Elles décident de les suivre et se retrouvent devant une immense pyramide qui monte au-delà des nuages. Ce sont les chenilles arrivées avant elles qui ont grimpé les unes par-dessus les autres. Impossible de distinguer le sommet ! Alors, Stripe et Yellow décident de grimper à leur tour. L'ascension semble facile au début, mais bientôt il leur faut s'agripper et écraser sans pitié la tête de leurs congénères.

« J'en ai assez ! dit Yellow. Descendons. Retournons dans les champs mener une vie paisible.

Et les voilà qui redescendent dans leur petit champ. Mais le temps passe. Stripe repense à la pyramide. Il est obsédé par le sommet.

– J'y retourne ! dit-il à Yellow. Reste ici, je te raconterai tout à mon retour.

Et Stripe de s'en retourner, et Stripe de grimper de plus belle. À force d'écraser des têtes, il se retrouve enfin au sommet. Et là, que voit-il ? Il regarde en haut, à droite, à gauche, et manque de tomber à la renverse.

– Mais il n'y a rien ! Rien ! crie-t-il.

Aussitôt, les chenilles en bas commencent à s'agiter ; celles juste en dessous se raidissent.

– Chut ! Chut ! lui lancent-elles. Tais-toi ! Si les autres t'entendent en bas, elles vont tout lâcher ; la pyramide va s'écrouler et nous avec elles !

Entre-temps, Yellow fait la rencontre d'une congénère en train de tisser son cocon à la branche d'un arbre. Elle n'a jamais rien vu de semblable auparavant. La croyant prisonnière, elle se lance à son secours. Mais la chenille la rassure et l'invite à faire comme elle si elle voulait voler un jour dans la peau d'un papillon. Yellow la regarde. Elle se met à réfléchir.

Les jours passent. Stripe redescend de la pyramide, désabusé, et reprend le chemin du bercail, quand il entend une voix familière qui l'appelle au-dessus de sa tête.

– Tisse-toi un cocon, Stripe. Et rejoins-moi dans le ciel. »

Il lève les yeux et reconnaît Yellow dans la peau d'un admirable papillon jaune.

Yellow est devenu ce qu'il était appelé à devenir : un magnifique papillon.

Cette histoire peut vous paraître un peu fleur bleue, un peu cul-cul ! En réalité, elle est une caricature implacable de notre société.

Avez-vous remarqué que, dans ce petit conte, les chenilles heureuses sont celles qui ont choisi de rester à l'écart et de vivre une vie marginale ? Yellow avait cru la chenille prisonnière de son cocon, alors qu'elle cherchait plutôt à s'épanouir en papillon.

Auriez-vous pensé la même chose que Yellow devant certains marginaux de notre société ?

Fait encourageant ! Le 27 mai 2006, dans le journal *Les Affaires*, on titrait en page 35 : « Pour la relève, le plaisir passe avant l'argent. » La fondation du maire de Montréal pour la jeunesse révèle que 70 % des 101 jeunes dirigeants de petites entreprises reconnaissent comme valeur entrepreneuriale suprême le plaisir au travail. Pas l'argent. Pas les possessions que le fait d'être patron permet. Non ! Juste le plaisir de se réaliser dans sa petite entreprise. De vrais Yellow, comme dans ma fable. Et dans l'ordre, par la suite, viennent à 55 % l'excellence, 36 % la qualité de l'environnement, 36 % les relations humaines (exactement comme en parlait Alex Michalos dans sa définition du bonheur), 33 % l'éthique et enfin 29 % l'entraide (encore les relations humaines !). Il est intéressant de noter que plus de 50 % des ces jeunes valorisent les relations humaines comme base du bonheur.

Les marchands de bonheur

Pourtant, combien voit-on de gens ne penser qu'à gagner plus, qu'à posséder plus, et ce, quitte à tromper. Pensons à tous ces scandales, à ces condamnations aux États-Unis. Pensons à notre Commission Gomery. On est loin des valeurs de ces jeunes. Quel beau souffle d'espoir !

Je ne puis m'empêcher de penser ici à ce qui m'a toujours fasciné chez l'humain : sa capacité de *vendre* ses idées, de convaincre les autres de le suivre.

Et c'est ainsi que j'ai tenté d'aider des centaines de vendeurs dans ma vie à vendre pour grandir personnellement, pour avoir du bonheur. Ce qui me peinait beaucoup, c'était d'en arriver à dire à un débutant, après maintes et maintes tentatives, qu'il n'était pas fait pour ce métier, qu'il n'avait pas l'attitude voulue pour réussir sans risquer de se brûler. Et cela, pour la simple raison que cette personne était incapable d'aborder la vente avec l'idée de rendre service aux gens, avec l'idée que la vente était avant tout une question de relations humaines.

Quand on cherche à savoir ce qui distingue les meilleurs vendeurs des autres, on en arrive rapidement à la conclusion que ceux qui se démarquent dans ce métier ne sont pas nécessairement ceux qui affichent le plus haut revenu, mais plutôt ceux qui savent créer une plus grande relation de confiance avec le client et démontrer un plus grand souci pour la qualité des rapports humains. Ils ne bouclent jamais une vente au détriment du client, n'essaient jamais de dénigrer la concurrence et démontrent envers les gens un intérêt qui va bien au-delà de leur portefeuille. Mais, par-dessus tout, ils aiment vendre. La vente les rend heureux parce qu'elle est pour eux une occasion de nouer des rapports avec les gens tout en leur rendant service.

Ces vendeurs ont compris le vrai sens du bonheur, à savoir qu'il n'est pas seulement dans ce qu'on obtient de la vie, mais dans les gestes que nous faisons pour l'obtenir ; qu'il n'est pas une récompense à la contrainte, mais un état d'être qui se vit au présent dans nos rapports humains.

Malheureusement, comme le disait Albert Brie dans ses petits billets du journal *Le Devoir*[2], nous vivons à une époque où l'on a un peu perdu de vue ces humains que nous sommes, ces humains que les autres sont autour de nous. On parle aujourd'hui de facteur humain, comme si nous n'étions, chacun et tous ensemble, qu'un simple élément dans une grande machine.

Le plus drôle de tout cela, c'est que nous ne cessons pas pour autant d'être humains. Mais le vrai problème, c'est que nous avons tendance à l'oublier et à nous comporter comme si nous ne l'étions pas, comme si nous étions des automates dont tous les gestes étaient parfaitement prévisibles et logiques.

---

2. Albert Brie a signé dans *Le Devoir*, au cours des années 1970 et 1980, une chronique intitulée « Le mot du silencieux ».

On a beaucoup critiqué l'être humain ces dernières années. On s'est acharné à montrer ses mauvais côtés et à traiter plusieurs de ses comportements sous l'angle de la « pathologie » avec, pour résultat, que ses grandes richesses sont passées inaperçues.

Je souhaite que ce livre vous aide enfin à libérer les vôtres et à tirer de vous-même ce que vous avez de meilleur !

Chapitre 2
Aimer !

Mon métier de conférencier m'a amené à écouter moi-même beaucoup de conférences durant des congrès. Des conférences parfois ennuyeuses, souvent très savantes, dans lesquelles des gens sérieux venaient bercer le sommeil de l'auditoire avec des formules et des chiffres. Inutile de vous dire que, dans un monde pareil, je suis vite devenu un marginal par mon humour, par ma façon de sautiller sur scène comme pieds nus sur le sable brûlant d'une plage, mais surtout par cette habitude que j'ai prise de lancer des questions d'une simplicité désarmante dans les pattes de mon public. Par exemple, l'amour. « Aimez-vous ? » « Y a-t-il de l'amour dans vos vies ? dans votre foyer ? dans votre métier ? » Les gens semblent désarmés par de telles questions.

Un parti politique canadien, dont je tairai le nom, m'avait un jour invité à son congrès. Invitation que j'avais hésité à accepter, car je ne suis membre d'aucun parti et je refuse toute association avec la politique. Mais le défi m'avait paru intéressant. Ce parti pataugeait dans les bas-fonds des sondages et certains scandales en avaient éclaboussé l'image auprès des électeurs. La politique étant malheureusement ce qu'elle est de nos jours, je voulais vérifier une question importante avec ces gens. Dans le salon du grand hôtel où la plupart s'étaient réunis, je leur ai demandé : « Y a-t-il de l'amour dans votre équipe ? »

Pour toute réponse : un silence de mort. Quand tout fut terminé, je serrai quelques mains, étrangement molles, et je quittai l'hôtel en digérant ce qui venait de se produire, avec l'impression bien nette d'avoir touché une corde sensible mais d'avoir manqué mon coup.

Peut-être avais-je passé tout droit. Avec le recul, car cela s'est passé il y a quelques années, j'ai le sentiment que cet auditoire était tellement préoccupé par le fait de gagner ou de perdre les élections, par l'idée du pouvoir à tout prix, que l'idée d'aimer était à cent lieues d'eux et de leurs préoccupations. Pouvoir et amour ne font pas bon ménage.

L'idée ne viendrait à personne d'associer l'amour à la politique. Et pourtant !

De la même façon, il ne nous viendrait pas à l'esprit que l'amour ait quelque chose à voir avec les affaires, avec la vie sociale et professionnelle.

Combien de fois vous est-il arrivé de faire des choses, d'accepter des situations et même de bâtir des projets à l'encontre de vos sentiments, à l'encontre de ce que vous aimez ?

Trouvez-vous normal que l'amour ne s'exprime pas dans ces facettes pourtant essentielles de notre vie ? Qu'en fait, l'amour s'exprime très peu dans nos vies ?

Voir plus loin que le bout de son lit

Pour des raisons que les psychologues n'auront jamais fini de débattre, nous avons une propension aux liens exclusifs. Nous envisageons l'amour comme une liaison privilégiée avec un nombre restreint de personnes. Nous cherchons au fond à satisfaire un besoin naturel, et il est normal que nos préférences et nos affinités s'expriment dans nos rapports avec autrui.

Mais cette forme d'amour peut devenir, et devient souvent, exclusive dans le mauvais sens du mot. Nous finissons par croire en effet que le couple, la famille ou le groupe d'amis sont les seules dimensions dans lesquelles l'amour peut s'exprimer. Et nous regardons tout ce qui est extérieur à cette petite vie privée comme une dimension d'où ce sentiment est exclu.

Bien que la plupart des gens souhaitent, par exemple, recevoir un salaire pour un travail qu'ils aiment faire, beaucoup n'envisagent absolument pas l'amour du métier comme une nécessité, ni même comme un critère important. En revanche, nous obéissons servilement à des critères comme la rentabilité et la sécurité, sans égard au fait que le travail visé soit pour nous une contrainte dont on n'attend rien d'autre qu'une récompense financière.

J'ai en tête l'exemple d'une petite entreprise née de l'amour. En effet, imaginez une mère préparant les purées pour ses poupons. De petits pots en petits pots, une PME est née : Bedon Mignon. Mme Nathalie Poirier, 29 ans, achète par la suite, grâce à un coup de pouce du Centre local de développement de la MRC de l'Assomption, un congélateur et un mélangeur d'occasion. Et l'histoire d'amour se poursuit. Puis viennent un local partagé, et enfin un atelier de production avec tous les permis provinciaux pour la transformation des viandes. Son succès, elle l'attribue à son réseau, à sa famille, à ses amies, à son conjoint. Tous ont mis la main à la pâte. Mais il y a aussi l'amour pour ses produits qui, grâce à des recettes et à des formules très particulières, fait dire aux mères qui achètent ces petits pots : « Ça goûte maison ! » Elle n'ajoute jamais d'eau aux fruits, la viande est cuite avec des légumes, c'est ce qui leur donne beaucoup de saveur. D'ailleurs, on goûte, et avec amour ! à toutes les purées avant de les mettre en pot. Qui dit qu'on démarre une PME pour faire de l'argent et se retirer millionnaire à cinquante ans ? On lance une PME par amour. Ne pourrait-on pas travailler de la même façon avec un bon salaire, ou est-ce rêver en couleurs ?

Plusieurs jeunes adultes ont une vision différente de la vie ; ils sont plus préoccupés par l'acquisition de biens intangibles, tels une vie familiale riche, une spiritualité vivante, un travail enrichissant, la chance d'aider les autres et la possibilité de s'offrir des loisirs et de voyager, ou encore valorisent l'enrichissement intellectuel, une créativité propre. Ils peuvent faire de leur vie quelque chose qui transpire l'amour !

Quand je demande à des gens de mon âge pourquoi ils travaillent, on me répond souvent par des phrases vides de sens : « Parce que j'ai toujours travaillé », « Parce qu'il me reste encore quelques années avant ma retraite », comme si le travail était une peine qu'on nous infligeait et qu'il n'y avait rien d'autre à espérer qu'une libération le jour de la retraite et des moments de répit les jours de vacances, à la manière d'un prisonnier qui attend la fin de sa sentence.

C'est une façon de voir très répandue, me direz-vous. Elle est normale. Mais quand ce qui est normal empêche l'amour de s'exprimer, n'éprouvez-vous pas le besoin de vous écarter de la norme ? de devenir marginal ?

L'enfer des « autres »

Il est frappant de constater à quel point nous pouvons nous éloigner et même aller à l'encontre des principes d'amour dans notre façon d'envisager la vie en société. Il suffit de lire les journaux, d'écouter les bulletins télévisés ou même d'observer les gens pour s'en rendre compte. Dans les associations, les groupes, les partis politiques, les institutions, dans l'entreprise privée, un peu partout, vous trouverez des gens pour se plaindre. Mais de quoi, au juste ? Presque invariablement des autres ! De l'autre parti politique, de l'autre compagnie, de l'autre en la personne du client, du patron, de l'employé, de l'immigrant ou de n'importe qui à qui le « chapeau » semble aller.

« Qu'est-ce que l'enfer ? » se demanda un jour le romancier Jean-Paul Sartre. « L'enfer ? L'enfer, c'est les autres... » fit-il répondre à l'un de ses personnages.

À écouter certaines personnes, on a l'impression que, pour avoir le droit d'exister, il faut continuellement enlever ce droit aux autres autour de nous. C'est l'une des raisons pour lesquelles les conflits éclatent ici et là et ne semblent s'arrêter qu'après épuisement des antagonistes. Nous perdons chaque année des fortunes colossales à tenter de résoudre des conflits dans le secteur public pour la simple raison que les parties en présence essaient toujours de gagner au détriment de l'autre.

Existe-t-il une autre façon de gagner ? Nous aimerions bien le croire. Mais les conceptions mêmes que nous colportons à l'égard de la société nous amènent à douter que ce soit seulement possible.

Il y a plusieurs années, à l'émission *Jeannette veut savoir*[3], on parlait de l'amour chez les homosexuels. Trois couples discutaient de leur définition de l'amour. L'un d'eux mentionna alors ces mots qui m'ont fait beaucoup réfléchir : « L'amitié, c'est gérer les affinités. L'amour, c'est concilier les différences. » Tout est là. Pour concilier d'abord les différences, il faut les reconnaître

---

3. Émission conçue et animée par Jeannette Bertrand. En 1980, cinq épisodes ont été consacrés à l'homosexualité.

et les respecter. Cela implique ne pas vouloir les modifier, les annihiler, mais au contraire les reconnaître et vouloir les concilier, c'est-à-dire les lier avec les siennes. C'est cesser de vouloir changer les autres. Il est peut-être là, l'enfer : on veut changer les autres, mais eux ne veulent pas changer.

Notre esprit est encore embrumé par le vieux dicton selon lequel « le bonheur des uns fait le malheur des autres ». Nous envisageons, sans nous poser de questions, la société comme un monde en lutte, dont le principal enjeu pourrait se résumer en un seul mot : prendre...

« Que vais-je en retirer ? Que vais-je prendre ? » Voilà la première chose qui nous vient à l'esprit. Dans nos universités, des facultés ferment leurs portes parce que les étudiants se ruent en majorité vers les départements qui sont les plus susceptibles de leur garantir un bon revenu. Des secteurs entiers de l'économie tombent en désuétude parce que les gens préfèrent investir là où ils sont certains d'obtenir un profit. Et l'on voit, dans la fonction publique, des gens s'accrocher à des postes où ils sont devenus foncièrement inutiles parce qu'ils ne veulent pas renoncer aux avantages que cela représente.

Prendre est devenu un véritable mode de vie. Et l'on parle de plus en plus de l'individu comme d'une personne qui a des droits. Je remplirais une bible en entier si je devais énumérer tous les droits qui nous ont été acquis au cours des dernières décennies. En revanche, je ne remplirais guère plus qu'un petit cahier d'écolier si je devais dresser la liste des devoirs qui nous sont restés.

Tous les gens qui voyagent le moindrement par avion ont amassé des milles Aéroplan, points donnés comme récompense aux clients qui ont utilisé assidûment leurs services. Avez-vous déjà tenté d'utiliser ces points ? D'abord, neuf fois sur dix, il n'y a pas de sièges disponibles sur le vol que vous désirez. C'est-à-dire qu'il n'y a pas de siège disponible pour récompenser un client qui a parcouru plus de cent mille milles depuis quelque temps : on a des sièges disponibles pour les clients payants seulement, pas pour vous qui ne paierez pas. Ensuite, si par hasard vous obtenez un siège, vous aurez une surprise à l'assignation des places. Pour des billets récompenses, seules les places à l'arrière vous sont allouées. Il est même arrivé qu'il n'y ait plus de repas pour ces voyageurs qui avaient osé se servir de leurs points Aéroplan. Pourrait-on dire que, dans ce cas, il s'agit de prendre d'abord et de donner le moins possible en retour ? Pourtant, il s'agit des meilleurs clients !

Quoi de plus normal au fait que l'amour s'exprime si peu à travers la société, dans la mesure où l'amour n'est pas un droit, une chose qui se réclame par principe, mais un don de soi-même, un sentiment qu'on suscite.

Daniel Pennac, dans son livre *Comme un roman*[4], écrivait que « le verbe lire ne souffre pas l'impératif ». On ne peut dire à quelqu'un « Lis » et qu'il se mette à lire intelligemment. Il serait temps que l'on dise la même chose du verbe aimer : il ne souffre pas l'impératif. On ne peut dire « Aime » comme on donne un ordre.

Que penser d'un mari qui réclamerait un baiser de son épouse en invoquant le « droit à la jouissance du mariage » ? La femme aura tôt fait de claquer la porte et peut-être même de demander le divorce !

Votre façon de voir la vie de couple reflète sans doute tout le contraire.

Mais qu'en est-il de notre façon de voir la vie sociale ? la vie en affaires ?

Faites un petit test. Tentez de dire le proverbe américain qui affirme *Life is a give and take* en le renversant : *Life is a take and*

---

4. Daniel Pennac, *Comme un roman*, Paris, Éditions Gallimard, 1992, p. 52.

give! Cela sonne très mal, même à l'oreille. Pourtant, n'est-ce pas ainsi qu'on le lit dans la vie courante?

Le droit de conduire, le privilège de piloter

Faisant un long périple dans le nord du Québec, j'ai vu pour la centième fois le pilote de l'avion de la compagnie, un vieux Convair, déplier une grande feuille sur le tableau de bord et la lire avec la plus grande attention en compagnie de son assistant. C'était la liste de vérification de l'appareil, une liste en tous points identique à celle qu'ils avaient dû lire et relire avant chacun de leurs décollages.

« Pourquoi faut-il que tu relises tout le temps cette feuille? ai-je demandé. Tu as bien dû l'apprendre par cœur.

– C'est obligatoire, répondit le pilote. Il faut la relire pour s'assurer que tout fonctionne.

– Imagine-toi si tous les conducteurs de voitures devaient en faire autant avant de prendre leur auto. On n'aurait plus jamais d'accidents au Québec, et aussi moins de pannes.

– Sûrement, dit-il, mais ils n'accepteraient jamais de le faire. Et tu sais pourquoi, Jean-Marc? C'est que piloter un avion est un privilège, alors que conduire une voiture est un droit... Je peux à la moindre erreur perdre mon permis de pilotage d'avion, et le perdre pour la vie. Pour ce qui est de la voiture, on le perd quelquefois, mais souvent, lors d'une comparution en cour, on peut expliquer au juge que c'est notre gagne-pain, que l'on ne peut donc perdre son permis de conduire : ce serait nous vouer au chômage. Et on invoque alors notre droit à l'emploi », poursuivit-il.

Il y a quelques années, Céline et moi visitions l'Algérie. Nous étions dans le désert du Mzab, dans une ville qui n'avait pas évolué depuis le Moyen-Âge. Les rues étroites et toutes en côtes ne servaient qu'aux piétons et aux mulets. Aucune voiture n'avait jamais emprunté ces sentiers serpentant entre les petites cabanes. Je tentais d'imaginer un des habitants de cette petite ville débarquant sur notre continent. Combien serait-il surpris et apeuré en voyant nos autoroutes et nos rues littéralement envahies par ces engins de toutes sortes ! Combien serait-il renversé d'apprendre qu'à des milliers de kilomètres de chez lui, à des années-lumière de sa façon de vivre, tous ces gens au volant de leur voiture croient que tout cela leur est dû ! Pensez seulement que pour établir le seuil de pauvreté au pays, on y inclut l'entretien d'une voiture !

Dans les sociétés orientales, et en particulier en Inde, on m'a dit qu'aucun droit n'est attribué à l'enfant naissant. Les gens naissent avec des obligations. Avant même de savoir marcher, on attribue à chaque petit un devoir moral qu'il devra accomplir toute sa vie durant. La supériorité et le prestige d'un citoyen sont directement proportionnels au poids de ses obligations.

Je ne suis pas allé voir là-bas si ce qu'on raconte est vrai. Et je suis contre le fait d'attribuer des obligations à un nouveau-né sans lui demander son avis. Mais à l'heure où l'on parle déjà du droit des fœtus, n'est-il pas urgent que nous regardions la vie dans une perspective plus large ? N'est-il pas nécessaire que nous prenions conscience non seulement de nos droits acquis, mais aussi de nos devoirs, car s'il est vrai que nous avons quelque chose à prendre au sein de cette société, il est tout aussi vrai que notre vie s'exprime dans une autre dimension essentielle, à savoir donner.

Le généticien et écrivain français Albert Jacquard disait que notre société est en train de passer d'une démocratie de gestion comme nous l'avons connue depuis des millénaires, une démocratie qui gérait la ville, le pays, à une démocratie d'éthique, où la société devra trouver comment s'entendre pour limiter ses pouvoirs. Il faudra qu'on trouve la générosité, l'amour pour établir ses propres balises, pour donner à l'autre sa chance, et même, ultimement, pour se donner sa propre chance. C'est dans ce sens que le mot « donner » prend toute son importance. Il faudra cesser de se regarder le nombril et voir l'autre en face qui, lui aussi, a une place au soleil.

Donner ! Oui ! Vous avez bien lu. Vous n'êtes pas victime d'une hallucination. J'ai bien écrit le mot « donner ».

De nos jours, quand on prononce ce mot, les gens se raidissent. Ils prennent un air hésitant et vous disent : « Allez voir le voisin, j'ai déjà donné ! » ou « J'ai donné au bureau ». Vous vous rappelez peut-être la dernière campagne de la Fédération des œuvres de charité.

Mais je ne vous parle pas ici de charité chrétienne ni d'œuvres de bienfaisance ; je ne vous parle pas de donner dans le sens d'être charitable.

Je vous parle de donner au sens large, de donner dans une perspective d'amour pas seulement envers les autres, mais envers vous-même, pas seulement en termes matériels, mais en termes d'émotions.

Les richesses d'une société, l'enthousiasme et le plaisir qu'elle exprime à travers ses membres ne se perpétuent pas automatiquement d'une génération à l'autre. Ce ne sont des choses acquises pour personne. Dans un sens ou dans l'autre, il faut toujours remettre de l'eau au moulin, il faut continuer à donner.

Et nous touchons ici à une notion clé que vous retrouverez tout au long de ce livre, une notion incomprise de nos jours : l'irrationnel. Il n'est pas rationnel de donner d'abord, pour recevoir ensuite.

L'amour : un trésor irrationnel

Le mot est pourtant entré dans nos mœurs. Mais il a pris, au cours des dernières années, un sens péjoratif. Aujourd'hui, irrationnel est synonyme d'insensé, de dangereux, d'irresponsable, par opposition à rationnel, qui serait synonyme d'intelligent, de sécuritaire et d'efficace.

Mais ce qui est vrai du point de vue de la recherche scientifique, du point de vue de la technologie et de toute chose exigeant une certitude parfaite ne l'est aucunement du point de vue de la vie en général. Quand je tourne la clef de ma voiture, je m'attends à ce que le moteur démarre. Ma confiance repose sur des critères rationnels : l'état de ma voiture, la fiabilité du modèle et les compétences techniques de ceux qui l'ont fabriquée. Mais il me serait impossible d'envisager avec les mêmes critères ma vie au sein de la société. En comparaison de ma voiture, les gens qui gravitent autour de moi et toutes les circonstances de ma vie demeurent intangibles.

Vais-je en avoir pour mon argent si j'investis dans tel ou tel projet ? Oui et non, rien n'est certain. La vie n'existe pas en termes de dépôts garantis.

Vais-je arriver à soulever cette foule qui est venue assister à l'une de mes conférences ? Impossible de le savoir.

Et s'il fallait que nous soyons tous certains de ce que nous allons recevoir de la vie en retour, avant de commencer à donner, il n'y aurait bientôt plus personne pour donner quoi que ce soit.

Je pense à ces gens qui, dans la période de Noël, postent une centaine de cartes de souhaits ; ils offrent leurs meilleurs vœux à leurs amis. Allez les revoir l'année suivante vers le mois de décembre ; ils n'expédient qu'une dizaine de cartes. Pourquoi ? Les gens n'ont pas répondu l'année précédente. « Je ne leur en envoie pas cette année. » Comme s'ils envoyaient leurs cartes de souhaits seulement pour en recevoir.

J'ai connu des coups durs dans ma vie. Des gens ont abusé de ma confiance, comme on aura sans doute abusé de la vôtre. Si j'étais foncièrement rationnel, je vivrais constamment avec ces mauvais souvenirs en tête et je trouverais sans cesse de nouvelles raisons de me méfier. Ma vie serait protégée, mais dénuée de passion.

Je n'aurais jamais écrit de livres. Je ne prononcerais pas mes conférences avec autant d'enthousiasme. Et j'aurais raison. La raison serait de mon côté. « Mieux vaut prendre le plus possible et donner le moins possible », telle serait ma devise. Mais voilà qu'un beau matin je me réveillerais, comme certaines personnes, avec le sentiment d'avoir évacué l'amour de ma vie. J'aurais le sentiment d'avoir été inutile ! Comment en serait-il autrement ?

À trop vouloir mener une vie rationnelle, on finit par empêcher l'amour de s'exprimer.

L'amour est irrationnel. Donner est irrationnel.

On n'aime pas, on ne donne pas parce qu'on a d'abord de bonnes raisons pour le faire.

Si vous donnez dans le but de recevoir ensuite, ce n'est plus un don mais un échange. Vous pourriez écrire le mot avec trois petits points : donner... Les trois petits points, c'est tout ce qui va arriver ensuite, toutes les conséquences que votre don entraîne. Vous ne pouvez en avoir aucune certitude. Qu'il s'agisse d'un don de votre personne, d'un don d'argent ou matériel, le fait de donner révèle votre confiance face à la vie et face à vous-même. Peut-être n'avons-nous plus confiance ?

Mais la mentalité d'aujourd'hui est, au contraire, « rationalisante ». Elle veut tout expliquer, tout emprisonner dans le raisonnement. Les gens d'aujourd'hui sont obsédés par la certitude.

Et ce qui devrait se faire naturellement, comme le don ou l'expression d'un amour, se trouve parfois refoulé par les calculs que ces personnes imposent à leur vie.

On demanda un jour à Einstein ce qu'il pensait des ordinateurs.

– Ils m'ennuient ! s'exclama le père de la physique nucléaire. Les ordinateurs sont bêtes. Ils ne posent jamais de questions, ils ne demandent jamais « pourquoi » !

Les ordinateurs ne sont qu'une image de notre esprit rationnel. Ils ne posent pas de questions parce que la question est une chose irrationnelle. C'est une chose émotive. Placez un point d'interrogation à la fin d'une phrase qui vous laisse froid et vous verrez tout de suite la différence. Poser des questions, c'est déjà admettre qu'il y a incertitude.

Et les gens qui craignent d'interroger la vie, n'essaient-ils pas au fond de s'accrocher à de fausses certitudes ?

Rien n'est assuré : ne serait-ce pas la chose la plus importante à enseigner à l'école ? Ne devrait-on pas soulever des questions dans la tête des élèves plutôt que de penser que l'école devrait fournir les grandes vérités ? Qui sommes-nous, les adultes, pour préparer nos jeunes à un monde qui ne présente qu'une certitude ? Il sera différent de celui que l'on connaît. Je ne me souviens pas qui a dit un jour qu'on entrait à l'école avec des points d'interrogation et que malheureusement on en sortait avec des points finaux.

Qu'en est-il de nous-mêmes ? Notre vie est un tissu de points finaux. Comme on le dit si bien : « Un point, c'est tout ! » Comme si la vie se résumait à un petit point sur une page blanche.

Chacun de nous oublie lui-même de se remettre en question, oublie de douter. La maturité arrive quand on peut dire : « Je ne sais pas tout. » Nos facultés universitaires, nos cégeps, nos écoles secondaires et primaires nous enseignent-ils à douter ou, au contraire, nous livrent-ils des certitudes ?

D'ailleurs, au cours de mes trois quarts de siècle sur terre, avec tous les détours que cela implique, j'ai dû apprendre à vivre en affirmant de plus en plus que j'en savais de moins en moins. J'ai dû apprendre à vivre avec l'incertitude, avec le doute, avec l'irrationnel, à l'encontre de ma croyance qui voulait me laisser entendre que tout était établi de toute éternité. Je me souviens de mon enfance à Montréal, durant les années 1930. Un quartier ouvrier avec sa grosse usine, les usines Angus, sa rue principale, la rue Masson, ses écoles primaires, Ludger-Duvernay et Jean-de-Brébeuf, sa population unifiée autour du besoin de gagner sa vie à la sueur de son front et dont l'un des hauts lieux de rencontre était la taverne de la 11ᵉ Avenue. Pour moi, enfant, la vie semblait tellement uniforme et continue, et cela malgré cette grande dépression qui forçait mes parents à chercher partout notre maigre pitance. On disait que des jours meilleurs viendraient, et Dieu sait si la guerre des années 1940 n'a pas créé cette grande euphorie : enfin le bonheur et la prospérité nous étaient arrivés.

Même chez les Jésuites du collège, j'apprenais que Dieu était certitude. Ils avaient toutes les réponses à nos questions de jeunes adolescents. Nos professeurs étaient là pour nous transmettre ces réponses. Et la politique en rajoutait. Je n'ai jamais voulu dire que la période Duplessis en était une de grande noirceur : c'était une période de grandes certitudes. À chaque question existait une réponse : il s'agissait de la trouver. Pour chaque problème existait une solution : il s'agissait de la découvrir.

L'école a voulu continuer son discours sécurisant ; elle continua à chercher des réponses claires et certaines. Même notre révolution tranquille des années 1960 nous a fourni les vraies réponses. Comme on est devenu maître de notre hydro-électricité, on est devenu maître de notre éducation. Mᵍʳ Parent et ses associés nous l'ont affirmé. Le Québec devenait prospère et cela donnait réponse à tout.

Mais des failles ont lézardé notre solide muraille de certitudes. Les récessions des années 1980 nous ont forcé à enlever nos œillères. Le monde nous a alors paru plus grand avec l'Expo 67, mais en même temps plus petit. On a cherché à appliquer nos solutions d'hier. Toutefois, elles ne répondaient plus aux nouveaux problèmes qui se posaient. On s'est réveillés, un matin, avec un grand vide, ou plutôt avec une grande question sans réponse : quel sens donner à la vie ? Il nous a alors fallu réinventer le monde.

Cette réinvention du monde dans lequel les certitudes d'hier n'ont plus toute leur place nous apprend que les grandes certitudes d'hier ont cédé leur rang prédominant à l'expérimentation, seule démarche valable au début de ce millénaire. Il faut essayer quelque chose de nouveau ! Et pour cela, il faut retrouver la confiance en soi. Il faut savoir que la réponse, notre réponse, est en nous d'abord, non dans le livre du professeur. Il faudra à l'avenir proposer des plans de carrière qui sauront s'adapter à la vie qui change à un rythme accéléré. Il faudra faire des écoles différentes. En fait, il s'agit d'une nouvelle façon d'approcher sa vie !

Il est impérieux que tous, on cesse de « parloter », comme le disait feu M. Pierre Péladeau, et que l'on s'attaque à la tâche majeure de ce début de siècle : enseigner à vivre dans l'incertitude, avec plus de questions que de réponses !

Il faudra que l'on apprenne que la vie n'est pas rationnelle, logique, avec une solution pour chaque problème.

Le mot « irrationnel » devient pour moi presque une idée fixe. Vous le retrouverez très souvent dans ce livre. Je crois que l'on doit comprendre enfin que vivre la vie comme une passion amoureuse, réussir et s'épanouir, tout cela ne s'atteint que par l'irrationnel, c'est-à-dire par l'audace de remettre en question au lieu de toujours chercher une réponse toute faite dans un bouquin ou chez un conseiller.

L'amour dans le monde des affaires

Ma vie est irrationnelle. Et les conférences que je prononce sont à l'image de cette vie.

C'est pourquoi je n'ai jamais aimé arriver deuxième au micro dans les congrès. Mes idées originales ont toujours fait qu'il y a 90 chances sur 100 que l'orateur qui me précède ne partage pas du tout mes opinions. Ce qui vous donne une idée de la façon dont il prépare le public qui doit m'entendre en deuxième lieu !

Mais, d'un autre côté, comme c'est enrichissant d'entendre des gens avec des idées différentes, des idées qui s'entre-choquent !

L'économiste Jane Jacobs disait : « Plus on standardise, plus on tue le terrain fertile de la diversité et de l'innovation. C'est une stratégie de déclin ![5] » Elle a parfaitement raison. Il faut cesser de penser tous de la même façon. Peut-être faudra-t-il s'affranchir un jour du mot « consensus » ! On a tous des réponses différentes aux mêmes questions.

Ce problème fâcheux, ou du moins délicat, d'être deuxième ou même dernier conférencier, est de plus en plus courant. Je me rappelle avoir été le deuxième conférencier de l'avant-midi dans un congrès de propriétaires de restaurants sur la côte Ouest américaine. Le premier conférencier, qui devait s'adresser au groupe à 9 h, était un comptable, un type qui cherchait toutes ses réponses dans les données. Dans la cinquantaine, cet homme avait un hobby très curieux : il collectionnait les états financiers des restaurants qui faisaient faillite. D'ailleurs, à l'aide

---

5. *L'actualité*, mars 1992.

de diapositives, il avait expliqué en long et en large à son auditoire quelle serait leur situation financière au moment de faire faillite ! C'était rigolo et surtout très encourageant pour le groupe.

À la pause-café, le président de l'association des restaurateurs qui m'avait invité vint me trouver et me dit : « Ils ont l'air bien bas. Il va falloir que tu les remontes ! » Je rétorquai : « Ils ne sont pas bas, ils sont morts ![6] »

J'ignorais totalement comment faire pour les ressusciter.

Je me suis alors souvenu de ce que Joe Girard, considéré comme l'un des plus grands vendeurs au monde, disait lui-même à propos des bons restaurants : *Good restaurants have love coming out of their kitchen*[7].

Et nous avons délaissé les chiffres du comptable pour parler d'amour, d'amour dans la restauration et dans les affaires en général. Était-ce possible ? Pouvait-on envisager les choses de ce point de vue ?

Cela rejoignait une question que je m'étais souvent posée. Depuis le début de ce chapitre, nous avons parlé de l'amour comme étant un état d'esprit irrationnel, une chose merveilleuse en soi. Mais en dehors du fait que l'amour soit une valeur magnifique à promouvoir, est-ce aussi une valeur profitable ?

Les profits et l'amour

Depuis que le monde est monde, nous nous sommes évertués à déshumaniser le commerce. Nous avons proclamé qu'il n'y avait pas de sentiments en affaires. Et s'il fallait parler de l'entreprise privée dans une perspective d'amour, bien des gens auraient du mal à voir comment cela est possible, à moins

---

6. En anglais : *They look dead !*
7. « Dans les bons restaurants, l'amour sort de la cuisine. » joegirard.com (site consulté le 2 mai 2006).

de renoncer aux profits et de faire de sa compagnie une œuvre de charité.

* * *

Voici un exemple d'une entreprise qui prône l'amour. Que diriez-vous d'une compagnie aérienne qui a choisi d'avoir comme sigle sur l'édifice de la Bourse de New York le mot LUV ? C'est que cette compagnie, Southwest Airlines, a toujours voulu promouvoir et développer l'amour chez son personnel et ses clients. Ainsi, elle a certains préceptes qui forment la base de sa culture.

- Montrez l'amour plus souvent et partout.
- Faites de l'amour une décision, non pas seulement une émotion, puis tenez-y mordicus.
- Reconnaissez le besoin d'amour des autres et le vôtre par le fait même.
- Ne craignez pas d'être vulnérable et d'exprimer vos besoins d'être aimé. L'amour insiste souvent sur la vulnérabilité.
- La vie est courte : pardonnez et oubliez.
- Aimez les gens en disant la vérité de façon aimante.
- Soyez aimable et perfectionnez votre politesse.
- Ne retenez pas l'amour quand vous désapprouvez les agissements des autres. Ne voyez pas la désapprobation des autres comme une raison de retenir l'amour.

Ceci est un extrait (p. 233) d'un livre publié en 1996 et écrit par Kevin Freiberg et Jackie Freiberg (Bard Press, Austin, Texas), qui a pour titre *Nuts*. Oui, des noix ! Mais quelle histoire d'amour rafraîchissante qui prouve que profit et amour font bon ménage ! En effet, ayant commencé à voler en 1971, cette entreprise a toujours, depuis 35 ans, fait des profits substantiels, dans les centaines de millions. Elle a plus de 16 000 employés, sans aucun syndicat. Quand on a demandé à la présidente actuelle, Mme Colleen Barret, quelle était la recette d'un tel succès, elle a répliqué : « Ce que nous faisons est simple mais non simpliste. Nous faisons vraiment tout avec passion. Nous nous crions par la tête et nous nous étreignons très fort (*hug*). Il n'y a aucun doute que les autres compagnies aériennes savent très bien se crier par la tête. Elles ne sont pas aussi aptes à s'étreindre les unes les autres[8]. »

N'est-il pas vrai que nous rencontrons beaucoup plus souvent des compagnies qui prospèrent en méprisant les gens, plaçant le profit au-dessus de toute valeur humaine ? Il fut un temps pas si lointain où la concurrence était faible et où la loyauté de la clientèle était pratiquement acquise aux commerçants. Les vendeurs qui allaient de porte en porte ne se gênaient pas eux-mêmes pour mépriser leurs « prospects ». Tous les ouvrages sur la vente écrits peu avant et peu après la Deuxième Guerre mondiale regorgent d'ailleurs de techniques visant à tromper la clientèle. C'était l'époque de la « vente sous pression », et l'unique intérêt était de passer sa camelote en échange d'un montant d'argent.

Vous rappelez-vous le temps où l'on disait : « Bon vendeur, bon menteur » ?

De nos jours encore, des commerçants et des vendeurs s'obstinent à voir les choses de cette façon. Mais les règles du jeu ont changé. Le grand tort de cette époque fut peut-être de nous laisser des conceptions du commerce et des affaires qui ne collent plus à la réalité d'aujourd'hui. Et cette réalité, c'est la conscience des gens, d'une part, et la concurrence, d'autre part.

Les gens ne sont plus des vaches à lait. Se lancer en affaires dans le seul but de les exploiter, c'est courir tout droit à la faillite. Il suffit d'un rien pour qu'une compagnie s'écroule à la faveur

---

8. Revue *Fortune*, 8 mars 2004.

de ses concurrents. Qu'une faiblesse se déclare ici et là, et ceux-ci s'empresseront de la tourner à leur avantage. L'échéance de la catastrophe peut varier de la petite à la grosse entreprise. C'est une question de temps.

Pourtant, ce qui me frappe encore, c'est de constater que ces faiblesses au sein des commerces et des compagnies reposent souvent sur un manque de sensibilité envers les humains, et que personne ne semble vraiment s'en apercevoir. Personne ne reconnaît l'importance à donner à l'humain !

À la manière du comptable qui m'avait précédé sur l'estrade, tous ces braves gens s'évertuent à chercher l'explication rationnelle de leurs déboires. L'idée ne leur vient pas à l'esprit qu'ils ont en face d'eux un humain en la personne du client et qu'ils ont encore toute sa confiance et sa sympathie à conquérir.

J'aime ici le mot « conquérir ». En effet, il faut gagner la confiance des gens. Elle n'est pas automatiquement acquise. Ce processus se fait lentement, est échelonné sur des années et non sur la base trimestrielle sur laquelle on juge les actions des compagnies en Bourse.

Dans une entrevue donnée par le président de la SAS (compagnie aérienne scandinave), M. Jan Carlzon, ce dernier répondait ainsi à une question posée : Qu'est-ce qui motive les employés à travailler plus intelligemment et avec plus d'enthousiasme ? Sa réponse est pleine de sagesse : « D'après mon expérience, il y a deux grands facteurs de motivation : un, c'est la peur, et l'autre, c'est l'amour. Vous pouvez gérer une organisation par la peur, mais si vous le faites, vous vous assurez ainsi que les gens ne performeront pas selon leurs capacités. Une personne qui a peur n'ose pas performer à la limite de ses capacités, parce que les gens ne sont pas prêts à prendre des risques quand ils ont peur et se sentent menacés. Mais si vous gérez les gens avec amour – c'est-à-dire si vous montrez du respect, de la confiance –, ils commencent à performer selon le niveau réel de leurs possibilités. Parce que dans un tel environnement, ils osent prendre des risques. Ils peuvent même faire des erreurs, rien ne peut leur faire de mal[9]. »

Pendant de nombreuses années, j'ai accédé à la vie secrète d'un grand nombre de dirigeants d'entreprises, de la toute petite à la multinationale, en passant par la PME moyenne. Je me suis toujours demandé pourquoi tout semblait réussir à certains, alors que d'autres échouaient dans les mêmes circonstances. Pourquoi une compagnie reposant sur de solides bases sur le plan financier finissait-elle pourtant par envisager la faillite, alors qu'une autre, fondée avec trois fois rien, se développait et prospérait hors de toute attente ?

Joseph-Armand Bombardier et son invention, la motoneige, n'avaient rien de différent de celle de monsieur J. A. Landry, fabricant de motoneiges à Rimouski. Les deux machines se valaient l'une l'autre. Les mêmes principes les guidaient. Mais la ténacité d'Armand Bombardier a fait toute la différence. La ténacité d'un enfant qui aime son bricolage : la motoneige, c'était une passion qui a fait qu'il s'est acharné à bâtir, à parfaire cette machine. Cette passion, il aurait tellement voulu qu'elle se traduise dans les faits et que la « maudite machine » fonctionne quand il aurait fallu un médecin au chevet de son fils mourant. Mais elle refusa de bouger et quelle colère de désespoir devant son invention ! Cela ne fit que raviver sa passion. Il aimait ses clients et cela lui a fait dire durant la guerre, avec le rationnement des moteurs, qu'il ne prendrait pas de commandes pour des véhicules qu'il ne pouvait livrer. C'est encore l'amour de sa petite communauté qui lui a dicté de ne pas déménager l'usine de Valcourt à Montréal, même si cela aurait facilité les opérations. Enfin, le jour où son comptable-vérificateur lui apprend qu'il est millionnaire, il rétorque que la compagnie est millionnaire, pas lui !

---

9. Revue *Inc.*, mai 1989.

On a beau chercher l'explication rationnelle, peine perdue. Dans la majorité des cas, rien, absolument rien ne distinguait les gagnants des perdants.

En revanche, les uns démontraient souvent une chose dont les autres semblaient dénués : l'amour.

Ils ne craignaient pas de donner, quelle que soit la conjoncture économique.

Ils démontraient du respect pour les gens et un plaisir particulier envers le monde des affaires.

Leur façon d'envisager la vie en général répondait moins à des modèles rationnels qu'à des sentiments irrationnels.

Portrait d'un homme irrationnel : Lee Iacocca

Lee Iacocca reste une figure légendaire aux États-Unis[10]. Et à quoi tient-elle, sa légende, sinon à ce geste étonnant qui l'amena à la barre de Chrysler ? Un geste irrationnel par lequel il s'engageait à redonner à ce géant de l'automobile au bord de la catastrophe une place privilégiée sur le marché, et ce, sans exiger le moindre salaire mais seulement une part des bénéfices.

Rien n'indiquait avec certitude que la compagnie ferait des profits, et les revenus que Iacocca espérait en tirer semblaient reposer sur une gageure ambitieuse.

Cet homme est pourtant devenu l'un des chefs d'entreprise les mieux payés au monde, ses revenus dépassant plusieurs fois ceux de ses collègues. Grâce à lui, Chrysler a repris sa place parmi les meilleurs. Mais l'homme irrationnel qu'il était a été mis au rancart. Des gestionnaires avec toute leur logique l'ont

---

10. Pour en savoir davantage sur Lee Iacocca, consulter Google ou wikipedia.org/wiki/Lee_Iacocca (site consulté en mai 2006).

remplacé. Et la compagnie a tranquillement perdu son allant pour tomber où elle est de nos jours, loin derrière les compagnies japonaises et coréennes.

Pourtant, M. Iacocca n'avait rien d'extraordinaire. Il aurait bien pu être notre voisin et passer pour un homme tranquille qui attend en paix sa retraite en faisant des placements modestes et en arrosant les tomates de son jardin. Mais quand on ose vous garantir en son nom personnel la qualité des voitures Chrysler, personne ne doute un seul instant de sa crédibilité. Voilà quelques années, sans attendre la critique, il alla même jusqu'à mener une véritable campagne publicitaire pour dire aux gens qu'il reconnaissait les défauts de fabrication d'un certain modèle et qu'il veillerait personnellement à dédommager les propriétaires.

Les gens qui sont portés à tout rationaliser diront peut-être que le phénomène Iacocca relève d'un calcul machiavélique : il ne laisserait intervenir les bons sentiments que dans la mesure où cela rapporterait des profits supérieurs.

Je ne suis pas dans le secret des dieux. Quelles sont les motivations profondes de Iacocca ? Je l'ignore et je ne peux le juger que par ses gestes. Mais à supposer, en effet, que cette attitude engendre des profits, que peut-on y trouver de critiquable ou de désolant ? Cela n'enlève rien au fait qu'il a su aimer les employés, les clients pour réussir à tirer l'entreprise du pétrin.

Qu'y a-t-il de répréhensible au fait que l'amour devienne une force économique ? N'est-ce pas, justement, une valeur créatrice, et n'est-il pas normal qu'elle rapporte des bienfaits sur les plans personnel et social ? C'est d'ailleurs ce qu'affirmait Anita Roddick, fondatrice des magasins de cosmétiques Body Shop, dans le journal *USA Today* du 26 novembre 1991 : « Il est temps que l'on adopte une nouvelle éthique des affaires : une qui met la dernière ligne de l'état financier (*bottom line*) à sa place, tout à fait au bas. Cela remet ainsi les actionnaires à leur place : la dernière priorité après les employés et les clients. »

Des milliards de dollars US en frites et en hamburgers

C'est avec beaucoup de prudence que j'aborde ce sujet. Je sais que la compagnie McDonald's est devenue synonyme de malbouffe, et avec raison. Son menu et la grande demande de la part des clients ont contribué à engendrer la maladie du siècle : l'obésité.

Mais ce que je veux souligner, c'est le génie d'avoir osé faire un restaurant qui, pendant des années, était un lieu de grande fête pour les tout-petits. Combien de fois je l'ai moi-même expérimenté avec mes petits-enfants !

Dans les écoles de marketing, on a toujours élaboré des théories complexes de marketing pour expliquer la réussite phénoménale des restaurants McDonald's. On trouve géniale l'idée qu'ils ont eue d'aller chercher la clientèle des enfants, alors que pour le commun des restaurateurs ces petits « monstres » représentent encore une calamité, une source de bruit, de dégâts et de caprices impossibles à satisfaire. Chez McDonald's, au contraire, on a traité les enfants comme des rois. On a aménagé des aires de jeu, on leur a fourni des cabanes de fantaisie pour leur anniversaire et on a même changé la présentation des aliments, transformant la nécessité de manger en plaisir pour ces jeunes.

L'idée a rapporté énormément.

On pourrait citer des chiffres affolants pour tenter de décrire sur le plan strictement affaires combien la réussite économique a été grande dans les années 1980 et 1990. Ils ont perdu quelque peu de leur lustre d'antan. Et ils devront certes réajuster leur tir s'ils ne veulent pas se retrouver, un jour, acculés à la faillite.

Mais à l'origine, cette idée de revenir aux valeurs des enfants était, je crois, basée sur un sentiment de respect, d'empathie pour les petits. On l'a peut-être complètement défigurée, mais il fallait aimer les enfants pour penser un tel modèle d'affaires.

Les experts en marketing ont fait beaucoup de cas de cette autre idée consistant à puiser dans les profits des restaurants pour construire des Manoirs Ronald McDonald, où les familles d'enfants malades pourraient gratuitement séjourner. Ils ont convenu, en rationalisant la chose, que c'était un bon coup de publicité et que c'était excellent pour l'image de la chaîne.

Bien sûr ! Comment pourrait-il en être autrement ?

Ce que beaucoup de gens ont peine à concevoir, c'est que McDonald's ne fut à l'origine qu'une modeste concession dans le sud des États-Unis ; si la compagnie a connu cette formidable expansion, ce ne fut pas un cadeau du ciel. Elle ne le doit pas seulement à l'intelligence de son fondateur, Ray Kroc, et au génie de tous ceux qui l'ont suivi, mais aussi, pour une grande part, à un état d'esprit.

McDonald's a beau représenter une imposante machine de marketing, Iacocca a beau être un homme brillant, on ne peut faire toute la lumière sur leur réussite en invoquant des arguments rationnels.

Les arguments rationnels ont d'ailleurs ceci d'étrange qu'ils peuvent aussi bien expliquer le succès d'une compagnie que la déchéance d'une autre. On peut faire dire n'importe quoi aux chiffres. Mais on ne saura jamais où finit le pieux mensonge et où commence la vérité.

En revanche, l'amour – ou l'absence d'amour – nous en révèle bien davantage que toute explication savante.

* * *

Lorsqu'on veut parler de l'ardeur, de l'énergie de quelqu'un, de sa générosité, il est curieux qu'on dise toujours qu'il a du cœur. Et Dieu sait si le cœur peut faire toute la différence.

Dans le sport professionnel, on semble toujours valoriser la taille. Plus il est grand et fort, plus le joueur devrait faire son chemin et aider l'équipe à gagner. Au hockey, par exemple, la majorité des joueurs sont costauds et bien musclés. Ce qui m'a cependant intrigué, c'est de voir de petits joueurs faire leur chemin et réussir à percer avec les grands honneurs. Dans l'équipe du Canadien de Montréal, on a eu jadis un tout petit Aurèle Joliat, qui pesait dans les 63 kilos (140 livres) ; pourtant, il était l'étoile de l'équipe. Plus près de nous, à côté du « Rocket » Richard, il y a eu le « Pocket » Richard, le frère de Maurice, Henri Richard, qui, lui, était moins grand et gros que son frère. Il a malgré tout très bien su tirer son épingle du jeu. Et que dire de la taille d'un Saku Koivu, pas trop grand et gros lui non plus ! Pourtant, on sait combien il a de la valeur pour le Canadien. Tous ces joueurs n'ont pas les bonnes caractéristiques physiques pour faire partie de la Ligue nationale. De chacun, au tout début de leur carrière de joueur de hockey, en mesurant leur grandeur, on a dû dire qu'ils étaient trop petits. En les pesant, on a dû dire qu'ils étaient trop légers. Mais la chose que jamais on ne mesure, c'est la grandeur du cœur. Tous ces petits joueurs n'avaient rien pour réussir dans le hockey professionnel si ce n'est le cœur : ce n'était pas rationnel. L'amour comme le cœur ne se mesurent pas.

Le Périclès de l'Antiquité et le Watson d'IBM

J'aurais beau multiplier les exemples d'amour dans l'entreprise et dans la société, il se trouvera toujours quelqu'un pour en douter et faire un procès d'intention à tous ceux qui se réclament des valeurs humaines.

Plus une compagnie est grande, plus elle s'expose à la critique. C'est naturel. Un professeur d'université, le docteur John C. Clemens, a écrit en 1999 un livre intitulé *The Classic Touch : Lessons in Leadership from Homer to Hemingway*. Détenant un doctorat en lettres et une maîtrise en marketing, il a su allier les affaires et la grande littérature. Il a pu tirer de l'histoire de la Grèce antique des conseils et des principes qui aident les leaders à mieux remplir leur rôle. Il raconte l'histoire d'Athènes en 431 avant Jésus-Christ.

La guerre fait rage entre la cité et celle de Sparte. Le chef, le célèbre Périclès, grimpe sur la colline pour prononcer un discours à la mémoire des soldats tués lors des affrontements. Mais au lieu d'une oraison funèbre, le leader athénien se lance dans un portrait passionné de la cité :

« Elle est unique ! dit-il. Elle ne copie pas les institutions de ses voisins. Il est davantage question pour nous de servir de modèle que d'imiter qui que ce soit !

Après cette introduction, il enchaîne avec un vibrant hommage au sentiment d'appartenance qui habite les gens :

– Ici, dit-il, chaque individu s'intéresse aussi bien aux affaires de l'État qu'à ses propres affaires. Même ceux que des occupations personnelles accaparent davantage sont extrêmement bien informés des politiques générales. C'est l'une de nos caractéristiques : nous ne disons pas d'un homme indifférent aux politiques qu'il veille à ses propres affaires, nous disons plutôt qu'il n'a absolument rien à faire ici...

Et enfin, le voilà qui exalte les mérites de l'individu et place les valeurs individuelles au-dessus de tout, sans considération de statut ou de fortune.

– Quand il s'agit de favoriser une personne plutôt qu'une autre en matière de responsabilité publique, ce qui compte ce n'est pas l'appartenance à une classe particulière, mais les capacités véritables que possède un homme ! »

Ce que vous venez de lire nous est venu de très loin grâce à de vieux textes datant de l'Antiquité.

Les paroles de Périclès sont d'une actualité frappante. Vous pourriez les traduire et les afficher sur le babillard de l'entreprise, et les employés auraient l'impression de lire la philosophie de leur compagnie.

À tel point qu'on pourrait presque dire qu'IBM a eu son propre Périclès en la personne de son premier président, Thomas Watson.

Watson, bien sûr, ne portait pas la toge et ne maniait pas le glaive comme son illustre ancêtre. Quant aux circonstances qui le conduisirent à la barre d'IBM, elles sont pour le moins inusitées.

Alors que l'invention de l'ampoule menait Thomas Edison au commerce – des ampoules – et tandis que le génie mécanique et industriel menait Henry Ford au commerce – des automobiles –, Thomas Watson arrivait dans le monde des « machines de bureau » par la vente.

Il ne connaissait rien aux caisses enregistreuses et aux calculatrices, rien à part la façon de les vendre.

L'une des premières révolutions qu'il provoqua à la tête de la compagnie fut de faire prendre conscience à tous ces gens que la raison d'être et la survie d'IBM reposaient sur un facteur primordial : le client.

Oui, le client existait ! Et bien loin d'être une vache à lait, c'était une réalité avec laquelle il fallait compter et qu'il fallait respecter.

Jamais auparavant, dans aucune compagnie, la notion de service ne fut aussi bien comprise et aussi bien exprimée. Il avait fallu un vendeur pour qu'on reconnaisse enfin toute son importance, pour qu'on se démène afin d'installer les machines à la perfection, d'aider le client, de lui prodiguer des conseils, de le prendre par la main.

Mais la révolution la plus profonde qu'il provoqua à la tête d'IBM, c'est dans la vie même de l'entreprise et dans la mentalité de ses membres qu'elle se manifeste.

Imaginez Watson montant dans l'édifice d'IBM comme Périclès sur la colline d'Athènes ! La parenté entre les deux philosophies est frappante. D'abord, le sentiment d'appartenance, ce fameux « tous pour un, un pour tous » qui a fait autrefois la gloire d'Athènes : personne ne lutte contre la personne au sein de cette multinationale. Il n'y a aucun syndicat chez IBM et l'idée même d'avoir à défendre les intérêts des uns contre ceux des autres y est complètement étrangère, ou du moins l'était. Peut-être y a-t-il eu des changements au cours des dernières années.

Ensuite et avant tout : l'individu !

Watson avait un mot qu'il aimait prononcer, un petit mot anglais dont il fit la devise de la compagnie : *think*. Pensez ! Tout simplement et rien de plus. Et c'était en réalité ce qu'il attendait de tous ceux qui joignaient les rangs d'IBM, que ce soit à titre de réparateurs, de concepteurs, de vendeurs ou d'administrateurs ; qu'ils n'arrivent pas avec l'intention de se cloîtrer dans une routine, mais avec l'esprit disponible et prêts à réfléchir, quitte à se mêler de choses qui n'entraient pas dans leurs compétences. La qualité et la pertinence d'une opinion l'impressionnaient bien davantage que les titres et les fonctions de la personne qui la défendait. Tout comme Périclès, il s'attachait surtout aux véritables capacités des gens et faisait preuve de discernement pour le reste. Il demandait aux gens de se poser des questions !

Pour Watson, d'ailleurs, rien n'était plus risible que ces salopettes dont se revêtaient les réparateurs de machines. À ses yeux, rien dans la tenue vestimentaire ne devait distinguer ces ouvriers des autres employés ni même des patrons. Après tout, ne partageaient-ils pas le même sens du professionnalisme ? Les salopettes furent donc jetées aux ordures et remplacées par des habits distingués, souliers vernis et chapeaux de feutre, ce qui allait créer une impression irrésistible sur la clientèle.

Aujourd'hui, travailler chez IBM évoque un sentiment de prestige à l'oreille des simples travailleurs pour la bonne raison qu'au sein de cette compagnie, personne n'est un « simple travailleur ». Et je ne parle pas ici d'une petite entreprise où tous les gens se croisent et nouent des rapports personnels, mais bel et bien de l'un des plus gros employeurs de la planète avec plus de 400 000 employés et un chiffre d'affaires qui, selon les experts, dépassera bientôt les 200 milliards de dollars.

Mais si IBM est devenue la multinationale que l'on connaît, ce ne fut pas, encore une fois, un cadeau du ciel.

Cette entreprise ne s'est jamais distinguée de ses concurrents par ses prouesses techniques. Sa force repose sur le respect de l'individu, l'amour du travail et la passion pour le service, trois concepts que vous pourriez résumer en un seul : l'irrationnel.

Connaissez-vous des chefs d'entreprise, des gens d'affaires, à qui cet exemple pourrait profiter ?

On donne de nos jours de plus en plus de formation sur le service à la clientèle. On y explique en long et en large des techniques propres à mieux servir les clients. Trop souvent, cependant, on explique comment mieux servir le client, mais on oublie de dire pourquoi, c'est-à-dire qu'il faut, au départ, aimer le client et ça c'est une question de culture, comme les Grecs l'avaient compris des siècles avant notre ère. On oublie souvent que le mot « charisme » a la même étymologie que le mot anglais *caring*,

prendre soin. Le service à la clientèle est fondé sur cette prémisse : on veut prendre soin du client, on veut prendre soin de
l'autre. Et cela vaut pour les relations avec le personnel ! Prend-on
soin des gens dans l'organisation ? Leur fait-on assez confiance
pour oser les laisser agir sans toujours avoir la tête au-dessus de
leurs épaules ? La compagnie IBM avait compris ce principe
dès le début de son existence. Et vous ?

La folie amoureuse

On m'a déjà reproché mon penchant « exagéré » pour les Américains. Et je ne m'en cache pas. J'aime bien les Américains. Je
ris avec eux, je m'enthousiasme avec eux. J'ai remarqué au
cours des années que nos voisins du sud, du moins ceux que
j'ai eu le plaisir de côtoyer, employaient plus souvent et plus
librement le mot *love* dans leurs conversations – et cela, malgré
leur grande violence – que nous ne sommes enclins, nous, les
Québécois, à employer le mot « amour ». C'est en voulant parler
d'amour que la division Lexus aux États-Unis a placé au fil de
nombreuses années des publicités dans les revues qui prô-
naient toujours ce mot. Une en particulier m'avait frappé. Elle
arborait en gros caractères, avec son sigle bien en évidence :
« *We dont sell cars. We merely facilitate love connexions*[11]. »

Ou encore cet hôtel, à Amos, qui ose offrir un cadeau à sa
clientèle : un petit galet ramassé le long de la rivière Harricana.
L'Amosphère nous dit : « Nous voudrions vous offrir un petit
cadeau souvenir en remerciement de votre passage chez
nous. » Ils savent dire merci !

Mais pourquoi pas le mot « amour » ? Pourquoi avoir peur
d'exprimer ce sentiment dans nos propres mots ?

---

11. « Nous ne vendons pas des voitures. Nous facilitons avec joie des connexions
d'amour. » *Business Week*, 2 septembre 1996.

Nos ascendances latines devraient pourtant nous disposer davantage que les Anglo-Saxons aux effusions de sentiments. Il est vrai que nous sommes des « Latins nordiques ». C'est peut-être la raison pour laquelle nous nous sentons obligés, chaque année à la première neige, de descendre dans les pays chauds pour faire les fous. C'est bien connu, un Latin a besoin de son soleil ! Comme il se fait parfois rare au Québec, la folie est une qualité qui se perd chez les Québécois.

Dans son livre *Histoire de la folie à l'âge classique*, Michel Foucault racontait qu'au Moyen-Âge, en Europe, les fous étaient expulsés des villes et vagabondaient ainsi dans la campagne, comme une bande de chiens sauvages. De jour en jour, la bande grossissait et finissait par s'établir sur un terrain où naissait un village de fous. Quelques-unes des grandes villes qui font aujourd'hui la fierté de l'Allemagne, par exemple, auraient ainsi pour fondateurs une poignée d'hurluberlus.

Je me suis longtemps demandé si quelques-unes des régions dont les Québécois sont si fiers n'avaient pas vu le jour de cette façon. Et je pense en particulier à la Beauce, où l'on retrouve plus de folie au mètre carré que dans la province tout entière !

La vérité, toute la vérité et rien que la vérité !

Il n'y a rien de plus incorrigible qu'un Beauceron. De la bicyclette à dérayage automatique à la maison démontable, il ne recule devant rien pour se distinguer. Et son grand plaisir est de réussir précisément là où d'autres ont échoué.

Essayez, par exemple, de convaincre votre gérant de banque avec un plan d'affaires comme celui que les Dutil ont soumis un jour à leurs conseillers financiers : aller chercher de l'acier à Hamilton, le transporter jusqu'à Saint-Gédéon-de-Beauce et, une fois rendu là, en faire des poutrelles d'édifices pour les revendre ensuite aux chantiers au Québec, au Canada et beaucoup aux États-Unis. C'est illogique !

Pourtant, c'est bien ce qu'a fait la compagnie beauceronne Canam Manac il y a plusieurs années. Et ça marche encore.

Canam Manac occupe aujourd'hui, parmi les compagnies québécoises qui savent se tenir debout, une place de choix. Elle possède une grande part du marché canadien de la poutrelle d'acier, plusieurs usines ainsi qu'une importante filiale américaine. Tout cela parce qu'un Beauceron a défié la logique et s'est mis à exploiter une veine en laquelle personne ne croyait. Un succès qui a déjà fait couler beaucoup d'encre. Mais un succès qui n'aurait sans doute pas vu le jour sans l'histoire d'amour qui unit le président Marcel Dutil à ses employés, à ses fournisseurs et à sa clientèle.

Dutil s'est lancé en affaires avec une foi inébranlable en certains principes, et sa manière de gérer son entreprise ne s'est jamais démentie depuis ce temps. S'il y a une chose que cet homme déteste et refuse par-dessus tout, c'est le mensonge sous toutes ses formes. Il n'y a pas de place pour le mensonge chez Canam Manac, ni même pour le demi-mensonge ou le pieux mensonge. N'est-ce pas là une marque de respect ?

« Tu dis la vérité et rien que la vérité à tes employés, disait-il dans une interview accordée au journal *Les Affaires*. Si tu as promis quelque chose, il faut que tu respectes ta promesse même si celle-ci était une erreur. »

Entre lui et ses employés règne une confiance étonnante qui leur permet, chaque année, de s'asseoir ensemble dans le petit théâtre de Saint-Gédéon pour négocier la convention collective, sans demander l'aide d'un avocat et sans aucun arbitrage. Pour le patron ordinaire, cela équivaudrait à se jeter dans la fosse aux lions !

Pour le patron de Canam Manac, le respect d'autrui est la plus grande des valeurs humaines et il n'hésite pas à considérer le personnel de son entreprise comme un partenaire, au même titre que les actionnaires ou les membres du conseil d'administration.

« Quand les affaires sont bonnes pour la compagnie, souligne-t-il, il faut que ça profite aussi aux employés. Il faut qu'eux également aient leur récompense pour les efforts fournis. Quand les temps sont durs, comme ces dernières années, et qu'il faut se serrer la ceinture, on peut alors demander aux employés de faire un sacrifice. Demander leur collaboration uniquement quand ça va mal et ne rien leur donner quand ça va bien, ça ne marche pas. Tu ne peux pas avoir la confiance des employés avec ça. »

Cet esprit d'entraide et de respect dans cette entreprise ne s'arrête d'ailleurs pas aux rapports entre Marcel Dutil et son personnel, mais déborde aussi sur la clientèle et même sur toute l'industrie de la poutrelle. Il y a quelques années, quand la compagnie Truscon, de LaSalle, tomba en grève, le premier réflexe de Dutil fut d'offrir ses services aux clients lésés afin qu'ils ne manquent de rien. Et pour bien montrer qu'il ne cherchait nullement à exploiter la situation, il proposa aux gens de Truscon d'établir eux-mêmes les factures à leur nom et au montant habituel. Bien des compagnies auraient vu là l'occasion inespérée d'élargir leur clientèle au détriment de l'autre. Bien des compagnies auraient attendu de voir l'autre succomber à la faillite pour ensuite filer avec le magot. « Le plaisir de l'un, c'est de voir l'autre se casser le cou ! » comme le chantait Félix Leclerc.

Pourquoi Marcel Dutil lui-même n'en a-t-il pas profité ? La logique n'aurait-elle pas voulu qu'il se graisse la patte comme plusieurs entrepreneurs l'auraient fait ?

Vous pourrez invoquer tous les arguments logiques du monde, l'exemple de Canam Manac vous renverra encore une fois à l'irrationnel. Ce n'est pas logique !

La relation de Marcel Dutil avec le monde des affaires en est une de passion, d'amour pour les humains.

Une conception choquante ou réaliste ?

La conception que je mets de l'avant dans ce chapitre peut choquer et continuera sans doute de choquer quelques personnes. J'en suis conscient et je prends ce risque. Certains ont peut-être déjà refermé le livre en se disant : « Mais comment peut-on penser des choses pareilles ? Les compagnies ne sont là que pour faire de l'argent. Point final. L'amour n'a rien à y voir. »

Et encore dans cette région de la Beauce, là où les irrationnels sont légion, une compagnie de textile, Victor Innovatex Inc., réussit malgré les difficultés qui sévissent dans cette industrie. Fondée en 1947 par le grand-père du président actuel, M. Alain Duval, elle recyclait à ses débuts la laine usagée, ce qui était plus que brillant pour une entreprise à cette époque, mais c'était aussi une utilisation efficace de la ressource. Depuis, que de chemin parcouru ! L'entreprise fabrique aujourd'hui des produits de polyester exempts d'antimoine, cette composante nuisible pour l'environnement. Leur textile synthétique est totalement recyclable. Ce produit est fabriqué à partir de matériaux naturels et suivant des procédés de fabrication qui protègent la santé de l'homme et son environnement. Ils sont fous de ce textile. Leur vision, c'est de produire toujours des textiles qui savent enrichir la qualité de vie de leurs employés, de leurs clients, de leurs fournisseurs ! Une autre histoire d'amour pour les humains.

Je ne cherche pas à prouver qu'il est impossible de fonder une entreprise ou même de faire quoi que ce soit dans la vie sans amour et de réussir quand même son coup pendant un certain temps.

Nous avons tous les jours sous les yeux des exemples d'injustice, de conflits, d'idiotie et d'indifférence qui semblent réussir.

Oui, on peut fonder une entreprise sur le mépris et le mensonge. Oui, on peut vivre dans l'obsession du rationnel. Oui, on peut bannir l'amour de la société et en faire quand même un monde « supportable » jusqu'à un certain point et pour un certain temps.

Mais le contraire est aussi vrai.

Nous avons un potentiel d'amour.

L'amour est là et il demande à s'exprimer.

Peu importe la réalité, nous avons la capacité de la dépasser.

De tout temps, d'ailleurs, les *self-made men* nous ont fascinés. Nous avons toujours voué une certaine admiration à ces bâtisseurs d'empire qui étaient d'origine modeste, ni plus riches ni plus instruits que le commun des hommes. Mais si nous les admirons tant, n'est-ce pas en bonne partie parce qu'ils sont la preuve qu'on peut dépasser une réalité, qu'on peut créer des choses en partant de trois fois rien, sur la base d'un sentiment irrationnel ?

Ils aiment le café !

J'ai toujours été intrigué par les bistros à café Starbucks. Avec plus de 100 000 employés et 35 millions de clients, cette entreprise semble toujours grandir. On y offre plus de 55 000 différentes boissons dans 10 500 points autour du monde. Ils veulent atteindre les 15 000 bistros d'ici quelques années, en ouvrant en moyenne cinq bistros par jour. On a demandé à M. Howard Schultz, président de la compagnie, la raison d'une telle réussite. Il prétend que le succès de l'entreprise vient de ce qu'elle a toujours su garder sa grande passion pour le café, mais aussi, et peut-être plus important, son sens de l'humain. Starbucks achète ses grains de café des meilleurs producteurs, qu'elle paie en moyenne 23 % de plus que le marché, et cela, que le café provienne du Guatemala ou de l'Éthiopie. Ce sens de l'humain qui les pousse à aider leurs fournisseurs à mieux réussir, ils l'ont aussi pour leurs employés. Alors que toutes les grandes corporations tentent de se décharger des frais médicaux qui grugent leur rentabilité (pensez à la compagnie General Motors, dont une très grande portion de leur prix de vente sert à payer les frais médicaux à leurs employés), Starbucks couvre les frais médicaux de tous ses employés américains qui travaillent au moins 20 heures par semaine. De plus, ces mêmes employés ont un programme d'achat d'options (*Bean Stock*). Qui dit qu'on ne peut prendre soin de son personnel , de ses fournisseurs et réussir quand même en affaires ? Mais il faut de l'humain, c'est-à-dire qu'il faut aimer les humains. Ce n'est pas logique, mais ça marche[12] !

Et ce furent, encore une fois, des gens d'origine modeste qui en furent les protagonistes, des gens partis de presque rien pour dépasser une réalité, mais qui possédaient la plus grande des richesses : celle de leurs sentiments, celle de se fier à leur intuition et de traiter les gens avec respect. M. Schultz est né dans un HLM de Brooklyn. Il a vu son père blessé ne plus pouvoir conduire son camion, et alors sans emploi et sans un sou de revenu, tenter de survivre sans assurance. D'où cette obligation de faire en sorte qu'aucun de ses employés ne subisse le même sort.

---

12. *The Economist*, 25 février 2006.

Le message de mère Teresa

Tout cela est très beau, mais j'ai maintenant l'impression, et avouez que ce serait bien drôle, de donner à penser que l'amour ne doit se manifester que dans les affaires. Qu'en est-il de l'éducation, de la technologie, des sciences, des arts, du *show-business*, de la politique, du sport et de la vie en général ?

Un matin du printemps 1986, je prenais part à un déjeuner de la prière en compagnie de 2800 personnes. Nous étions tassés les uns contre les autres dans un hôtel de Montréal et n'avions pour tout repas qu'un croissant rachitique et un petit gobelet de café. Parmi cette foule se trouvaient des gens d'un certain âge et assez aisés qui avaient l'habitude du confort. Mais aucune plainte ne s'élevait. Tous les yeux étaient braqués avec respect sur le rideau qui devait s'ouvrir d'un instant à l'autre sur la grande invitée d'honneur du déjeuner.

Quelque chose de particulier était en train de se produire sans qu'on puisse dire quoi exactement. Les titres, les fonctions, la célébrité, l'âge, le revenu et toutes les étiquettes sociales semblaient s'être évanouis derrière une qualité qui nous liait tous les uns aux autres : notre identité humaine. Il n'y avait plus dans la salle que 2800 humains dans toute leur nudité.

Le rideau s'est alors enfin ouvert sur une petite dame très âgée, vêtue d'une modeste robe et d'un voile. Une petite dame au visage ridé qu'on avait dû soutenir jusqu'au petit banc sur lequel elle s'était assise, au milieu de l'estrade. Je ne vous ferai pas languir davantage sur l'identité de cette invitée d'honneur que le monde entier connaissait sous le nom de mère Teresa.

Calcutta, cette ville où mouraient chaque année plus d'un million d'enfants, où chaque année, grâce aux soins de cette petite dame, plus d'une trentaine de milliers survivaient. Calcutta, cette ville où les gens mouraient dans les rues comme des bêtes avant que mère Teresa leur apprenne à mourir et à vivre dans la dignité.

Au-delà des croyances religieuses, au-delà de toute considération, y a-t-il plus belle expression de l'amour ?

Quand on demanda à mère Teresa si elle se rendait compte à quel point ses efforts n'étaient qu'une goutte dans l'océan de la misère, elle répondit : « Mais avez-vous déjà réalisé que l'océan ne serait pas le même s'il n'y avait pas cette goutte-là ? »

Absurde ? Non.

Irrationnel ? Oui.

La vie de cette femme est le symbole même de l'irrationnel.

La solitude : notre « famine »

En parlant de l'Amérique, et de Montréal en particulier, aux 2800 personnes massées devant l'estrade, mère Teresa nous trouvait heureux de n'avoir pas à souffrir de la faim. Mais pourtant, avec une étonnante lucidité pour une dame qui a vécu si longtemps au milieu de la famine et de la lèpre, elle se disait émue par cet autre mal dont souffrait un si grand nombre d'entre nous. Ce mal était nul autre que la solitude, le peu de reconnaissance et d'attention qu'on se porte les uns aux autres.

« Mère Teresa ! s'est alors exclamé un homme d'affaires, vous avez tellement raison ! Mais que peut-on faire, nous, les gouvernements, les entreprises, pour soulager la solitude qui règne dans Montréal ?

Et mère Teresa de lui répondre, avec un sourire que je n'oublierai jamais :

— Va les voir ! »

Je ne sais pas si cet homme s'est en effet donné la peine d'aller frapper aux portes des gens seuls et désespérés. D'ailleurs, même s'il l'avait voulu, son emploi du temps l'en aurait peut-être empêché, ce qui aurait servi d'excuse à la plupart d'entre nous.

Le déjeuner était terminé ; mère Teresa s'en retourna, les gens reprirent leurs habitudes. Et l'on peut se demander s'il en est resté quelque chose de tangible, à part le souvenir d'un bon moment passé ensemble.

Mère Teresa était bien sûr un phénomène. Il serait exagéré de la donner en exemple. L'amour qu'elle incarnait prenait une dimension universelle. Elle a fait don de sa propre personne à la cause des pauvres et des malades.

Elle vivait dans la dévotion et le sacrifice. C'était son chemin, j'ai le mien et vous avez sans doute le vôtre.

Mais vous pouvez tirer de cet exemple l'idée profitable que l'amour n'est pas uniquement une question d'attirance affective entre quelques personnes.

L'amour est un principe de vie. Un principe de vie et de réussite, et cela, même en affaires.

Chapitre 3
Les raisons du cœur

Mes slogans sont connus partout au Canada et au Québec. Moi qui ne fais pas de politique, je pourrais facilement passer pour un harangueur de foule ! C'est toi qui mènes ; Réussir au Québec, pourquoi pas ? ; C'est toi, le champion ; Mets-y du cœur ; Aide les autres et le ciel t'aidera : autant de slogans qui m'ont permis d'accéder à beaucoup de gens, mais qui ont fait sourire certains d'entre eux. Cette façon de communiquer est souvent obligatoire si l'on veut retenir l'attention. Toutefois, ce que je trouve regrettable, c'est le sentiment qu'avec le temps la conférence sera oubliée et qu'on n'en retiendra que ces quelques formules trop sommaires.

Que se cache-t-il vraiment derrière ces slogans ?

Et puisque nous allons en parler, que renferme ma formule « Mets-y du cœur » que je ne cesse de répéter depuis quelques années ?

Réapprendre les mots du cœur

Beaucoup de gens ne connaissent que le sens péjoratif de cette petite phrase. Ils ont horreur qu'on leur dise « Mets-y du cœur ! » parce qu'ils ne peuvent s'empêcher d'y voir un appel au travail, au surmenage, au sacrifice de soi, alors que c'est tout le contraire.

D'autres y voient un appel à l'aliénation. Ils imaginent aisément des fanatiques brandissant ce slogan pour abrutir les gens et leur faire avaler des absurdités. Pour eux, « y mettre du cœur » est en conflit avec « réfléchir », alors qu'au fond ces deux aspects devraient se réconcilier.

Enfin, d'autres, plus nombreux, y voient un appel au sentimentalisme, une valorisation agaçante des émotions qui, selon eux, demeurent des choses instables dont il faut se méfier, même si elles semblent parfois très belles. Pourtant, se méfier du cœur revient à se condamner, à se méfier de soi et, pire encore, à tout faire pour entraver la libre expression de sa vie.

Ma conception du cœur, comme vous pouvez le deviner, est donc très éclatée en apparence. Et comment pourrait-il en être autrement ? Si je vous proposais une définition limitée et rigide du cœur, l'accepteriez-vous sans malaise ?

Ce que beaucoup ne semblent pas comprendre aujourd'hui – et je fais allusion à l'esprit rationnel et scientifique –, c'est qu'à trop vouloir parler du cœur avec les mots de la tête, on en donne une image appauvrie, voire une image fausse.

« Le cœur a ses raisons que la raison ne connaît pas », dit le vieux dicton. Mais ne serait-il pas merveilleux que la raison s'imprègne enfin de la sagesse du cœur, que le cœur et la tête arrivent enfin à se réconcilier ?

Comment voyez-vous le cœur ? Comme un grain de sable indésirable dans la machine rationnelle de votre tête ou comme le moteur de la vie ?

Pour moi, le cœur est le moteur qui fait avancer dans la vie. La tête est le *brake* qui freine ! Les gens m'ont souvent reproché de dire le mot anglais au lieu du terme français. Je réponds chaque fois : « C'est parce que les *brakes* freinent plus que des freins. » Et la tête freine vraiment tout l'élan qui vient de l'intuition.

Je ne voudrais surtout pas prétendre qu'il ne faut pas de freins. Je n'oserais pas monter dans une voiture sans freins. Cependant, je n'irais nulle part si la voiture n'était pas équipée d'un moteur. Mais on semble toujours avoir peur que le moteur s'emballe ! Pourquoi ?

La liberté du cœur

Le grand philosophe et romancier Albert Camus a écrit un jour que toutes nos réflexions sur l'existence devraient se résumer à une seule question : « La vie vaut-elle la peine d'être vécue ? » Comment tournent les planètes ? Comment sont faits les atomes ? D'où vient l'Univers et où nous mène-t-il ? Toutes ces questions ne seraient en comparaison que de simples jeux intellectuels.

Ce qui a précédé notre naissance et ce qui suivra notre décès demeurent sans doute des questions importantes, et on doit les examiner du point de vue de la science ou du point de vue religieux. Mais il n'en reste pas moins que cette vie, vous l'avez reçue et vous n'y êtes pour rien. Cependant, avec la vie, vous avez reçu la liberté : vous pouvez la vivre ou y mettre fin. Et Dieu sait si on remet en question ces temps-ci l'acceptation ou le rejet de la vie. Pensez au problème de l'avortement, du suicide, de l'euthanasie.

C'est une vérité parfois lourde à supporter et je suis conscient de prendre certains risques en la soulignant. Car je suis convaincu qu'elle angoisse beaucoup de gens, peu importe leur âge ou leur classe sociale.

La liberté en elle-même, avant d'être assumée, est une source d'angoisse universelle pour tous les êtres humains. Un très ancien livre de la Bible faisait même remonter au péché originel et au libre arbitre (qui avait fait de l'homme un enfant laissé à lui-même, libéré de la protection permanente de Dieu) le point d'origine de tous ses tourments. Seul devant le monde, l'homme devint le seul juge de ce qui était bien ou mal et dut alors avancer en faisant ses propres choix.

Que l'on soit en accord ou non avec les énoncés de la Bible, la portée universelle de cet enseignement ne sera jamais compromise. Car, au-delà de toute opinion, nous restons libres de choisir si la vie vaut ou non la peine d'être vécue. Essayer de renoncer à cette liberté ou s'efforcer de la nier, c'est choisir toujours en toute liberté d'être inconscient. Même en ne prenant aucune décision, on décide de ne rien faire. Et décider, c'est risquer de se tromper.

La science, qui fut souvent en conflit de pouvoir avec la religion, a été amenée à contester ce choix originel. Au fil des siècles, elle a multiplié découverte sur découverte et s'est souvent servie de ces dernières comme argument pour démontrer l'absence de liberté chez l'humain.

Il est curieux de voir qu'on a tenté de rationaliser le cœur, l'appelant pour ce faire l'inconscient. Et cela dit, depuis les débuts de cette étude qui regroupe la psychologie, la psychiatrie, la psychanalyse, on a tout défini en fonction de la maladie. On cherchait des malades. Pas surprenant alors qu'on ait éliminé le mot « cœur » de notre langage. En fait, on a, à cause de cette analyse toute médicale, donné du cœur une image maladive.

Freud ne croyait pas au bonheur. Il disait lui-même à propos de ses patients que la psychanalyse ne les rendrait jamais heureux, mais qu'elle aurait au moins le mérite « de leur rendre la vie supportable » !

Mais une vie « supportable » vaut-elle la peine d'être vécue ?

Le drame des camps de concentration

« Les hommes ne sont pas des fourmis, écrivait le psychologue Bruno Bettelheim dans son merveilleux livre *Le cœur conscient*, ils préfèrent la mort à une existence de fourmilière. »

Ce rescapé des camps de concentration allemands citait en exemple le fait troublant que les femmes et les hommes, réduits à vivre dans un état bestial, creusaient eux-mêmes leur propre tombe avant de s'y laisser tomber sous les balles des nazis. Plus troublant encore, il n'y avait souvent que deux soldats pour escorter sur le chemin des camps de la mort des groupes de plus de cent condamnés qui savaient, pourtant, le sort qu'on leur réservait.

Certains ont pu objecter que ces condamnés avaient été à ce point réduits à l'état de bêtes abruties qu'ils en avaient perdu toute notion de conscience. Pourtant, Bettelheim raconte à leur décharge l'incident qui eut lieu à Auschwitz et qui démontra qu'en une seule fraction de seconde un humain dégradé peut recouvrer le respect de soi, perdu à la suite de plusieurs mois d'humiliations.

Ayant appris qu'une des condamnées alignées nues devant la chambre à gaz avait jadis exercé le métier de danseuse, un garde nazi lui ordonna de sortir des rangs et de lui faire un pas de danse. La condamnée s'exécuta, approcha de son bourreau en roulant des hanches, s'empara de son arme et le tua. Elle fut aussitôt abattue par les autres gardes, ce à quoi elle s'attendait de toute façon.

Cette femme était-elle un être humain ou une simple « machine biologique » ?

Démembrer cette victime en petits morceaux afin de les analyser un par un, puis les combiner en autant de théories que le veut l'esprit scientifique, est-ce bien suffisant pour comprendre son geste terrible ? Non ! Il faut faire appel au cœur pour expliquer ce geste suicidaire.

La bombe et l'orchidée / Le cœur et l'ordinateur

Dans *La bombe et l'orchidée*, le regretté Fernand Seguin comparait la complexité et l'harmonie parfaite d'une fleur à celle de la bombe binaire sur laquelle les savants travaillaient depuis des années. Avec ironie, l'auteur décrivait les efforts de la recherche militaire pour arriver à produire des mécanismes meurtriers qui rivaliseraient de perfection avec les mécanismes naturels de l'orchidée.

Mais rien n'est plus parfait qu'une fleur. Et les efforts des savants s'avérèrent stériles. Ils cherchaient la perfection mais ne pourraient jamais l'atteindre.

Il en sort une bombe imparfaite, mais faites-leur confiance : elle n'en est pas moins dévastatrice.

Cette histoire me fait songer à celle de ces experts en informatique qui essaient de s'inspirer du cerveau humain pour concevoir des circuits d'ordinateur. Pourquoi pas ?

Mais, parmi ces experts, certains croient fermement qu'un jour l'ordinateur aura si bien imité l'humain que l'intelligence artificielle rivalisera avec l'intelligence naturelle. Certes, on peut probablement reproduire un cerveau humain intelligent, mais on ne pourra jamais faire un cœur qui ressent les choses, un cœur rempli d'émotions, un cœur qui aime à la folie.

Ces experts font cependant face à un gros problème « technique » : comment donner un cœur à la machine ? Alors ils dissèquent, ils analysent le cerveau humain à la recherche d'une explication. Descartes nous a rendu un mauvais service en prou-

vant que pour comprendre le tout il fallait toujours tout disséquer.

Mais encore une fois, tous les efforts tombent à plat !

Doit-on en conclure que le cœur humain ne s'explique pas ?

Expliquer *versus* exprimer !

Jean-Marc Chaput serait-il contre la science ? Rassurez-vous,
j'ai beaucoup d'amis scientifiques et nous nous entendons très
bien, merci !

Ce n'est pas la science que je pointe du doigt, mais les men-
talités d'aujourd'hui, notre tendance à tout rationaliser, à tout
vouloir expliquer. Vous pouvez n'avoir aucune culture scientifique et tomber quand même dans ce piège. Conséquence : à
force d'*expliquer*, de voir la vie sous l'angle de l'explication, on
devient incapable d'*exprimer*.

J'aime, dans le livre *Comme un roman* de Daniel Pennac,
cette idée que l'on ne lit plus les livres aux enfants ; on voudrait
au contraire qu'ils comprennent l'histoire et puis on passe à
autre chose. Eux veulent de nouveau le même livre, la même
histoire. Il dit : « Nous étions son conteur, nous sommes devenus son comptable. » Paraphrasant cette idée, je dirais qu'avec
ce besoin de tout expliquer, on est passé au Québec d'un peuple
de conteurs à un peuple de comptables. On ne raconte plus
l'histoire de la fondation de Montréal, on l'explique avec statistiques à l'appui. Nos historiens sont quasiment tous des éco-
nomistes ou des comptables agréés.

L'explication relègue l'expression au second plan.

Vous me direz peut-être que c'est faux, que les gens s'expriment, qu'on leur demande de plus en plus de le faire au sein des
compagnies, dans les écoles, les universités et dans la société en
général, et que celle-ci abrite plus d'artistes que jamais.

Mais comment se fait-il qu'on doive de plus en plus demander aux gens de s'exprimer pour qu'ils le fassent ? Comment se fait-il qu'en songeant à l'expression, on songe automatiquement aux artistes ?

Beaucoup de gens aujourd'hui ne s'expriment qu'en état d'ébriété ou sous l'effet de la drogue, ou alors ils délèguent leur besoin d'expression aux artistes qu'ils regardent à la télévision ou qu'ils écoutent à la radio.

Pourtant, je me souviens avec plaisir qu'un soir, vers 22 h, en sortant de l'actuel aéroport Pierre-Elliot-Trudeau, je m'étais retrouvé dans un embouteillage monstre sur l'autoroute métropolitaine en allant vers l'est. Je me disais : « Passe pour une circulation intense à l'heure de pointe, mais le soir comme en ce moment, c'est impossible et infernal. » Je baisse alors la vitre et demande au camionneur captif comme moi à ma gauche :

« Que se passe-t-il ?

– Ce sont les Italiens ! répond-il.

– Les Italiens ! Qu'est-ce qu'ils ont fait ?

– Ils ont gagné le Mondial de football.

– Quoi ? Mais où ça ?

– Quelque part en Europe. En Espagne, je crois. »

Pouvez-vous le croire ! Les Italiens gagnent en Europe et ils bloquent la circulation à Montréal. Heureusement qu'ils n'ont pas gagné à Montréal, on aurait tout fermé pendant trois jours. Mais c'était l'expression de la joie, de la fierté ! Cela n'était pas une explication.

Comment interprétez-vous ce phénomène ?

L'expression, la véritable expression ne devrait-elle pas venir spontanément et être une partie intégrante de notre vie ? Comme pour les Italiens, ce peuple si chaleureux et exubérant !

Ne devrions-nous pas considérer notre vie elle-même, tout entière, comme une expression, une expression du cœur ?

La tête explique, le cœur exprime !

L'expression est ouverte, ouverte sur la vie et sur le monde. Elle n'essaie pas de prouver quoi que ce soit, elle exprime. Alors que l'explication tend à se refermer sur les choses, elle essaie de s'y conformer, mais pour mieux les réduire à elles-mêmes. Elle explique, point final.

Exprimer, c'est faire un acte de cœur. Expliquer, c'est réaliser un acte de tête. Voilà peut-être la différence essentielle entre l'artiste et le scientifique.

Ce qui accroche le public chez ce grand scientifique qu'est Hubert Reeves, c'est justement cette capacité de laisser parler son cœur, de savoir que finalement on ne pourra jamais expliquer la poésie, on ne fait que la dire, l'exprimer. D'ailleurs, dans un de ses livres intitulé *Malicorne*, il raconte qu'à la suite de conférences, on lui demande souvent s'il croit que Dieu existe et il répond que si Dieu existe, il a changé ; de certitude qu'il était il y a quelque cinquante ans, il est devenu questionnement. Ce qu'il dit, en fait, c'est qu'on est passé d'un Dieu de tête avec toutes ses explications à un Dieu de cœur sous toutes ses formes, avec expression.

Mais il est faux de prétendre que ces deux actes sont incompatibles. Ils le deviennent seulement quand l'obsession d'expliquer prend le dessus et finit par brimer l'expression libre de la vie. À partir de ce moment, ce pouvoir d'expliquer se coupe lui-même de ses propres sources : le cœur et son intuition. Vient ensuite l'impuissance à renouveler l'explication. De là notre impression que tout a déjà été dit, de là notre sentiment que la réalité nous échappe, que la vie est pauvre et que le dynamisme a disparu.

Combien de plaintes avez-vous entendues à ce sujet ?

Combien de gens vous ont confié leur impuissance à comprendre la vie, à sentir les choses ?

Que d'entreprises j'ai visitées où j'ai rencontré des humains blasés qui n'osaient même plus parler, qui vivaient en automates estampillant à longueur de journée des feuilles de métal, ne ressentant plus rien à l'intérieur ! On leur avait coupé la parole, car on leur avait tout expliqué.

L'intuition des Amérindiens fut jadis proverbiale. Les Indiens de naguère, au Lac-Saint-Jean, pouvaient avancer très loin dans une forêt épaisse, sans boussole ni aucun repère artificiel, et revenir aussi facilement à leur point de départ. Notre éducation de Blancs, « rationalisante », explicative à outrance, s'est alors chargée de leurs enfants. Quelques générations plus tard, les résultats furent si malheureux qu'on dut même interdire aux jeunes Indiens d'aller seuls en forêt en raison de leur déplorable sens de l'orientation. Heureusement, ils se sont pris en mains et ont retrouvé leur intuition ancestrale qui leur servait de boussole en forêt.

« Vous nous avez montré à porter des souliers, confia un indigène d'Amérique du Sud à un guide du Club Aventure, et depuis ce jour, nous ne sentons plus la terre sous nos pieds, nous ne sentons plus ses promesses, ses menaces de sécheresse, ses tremblement de terre... »

Bien avant l'invention de nos méthodes archi-compliquées de prévisions météorologiques, mon grand-père pouvait prédire avec une exactitude surprenante le moindre changement dans l'air juste en le respirant à pleines narines. Son nez était légendaire. Il avait du pif !

Mais qu'avons-nous fait du nôtre ? Et de celui de nos enfants ?

Qu'avez-vous fait du vôtre ?

Où est passée l'inspiration ? l'intuition ?

* * *

Je me souviens d'avoir demandé un jour à Céline, ma conjointe, de rencontrer avec moi quelqu'un que je désirais employer comme gérant à mon centre de traitement des données. Après un repas copieux et un échange chaleureux, le jeune homme et sa femme quittèrent le restaurant ; tout excité, me tournant vers ma femme, je lui demandai :

« Puis, qu'en penses-tu ? Excellent, n'est-ce pas ?

Elle me répond alors avec délicatesse :

– Je pense que tu fais une erreur.

– Pourquoi ? lui ai-je demandé. Comment le sais-tu ? Qu'est-ce qui te fait dire ça ?

Et elle de rétorquer :

– Il porte des bas blancs !

– Quoi ? lui dis-je, des bas blancs ? Mais quel est le rapport avec le travail de gérance ?

– Je ne sais pas, me dit-elle, mais je crois que ce n'est pas ton homme. »

Les mois qui suivirent lui donnèrent raison, car je l'avais embauché malgré son avis et j'avais fait une erreur : j'ai dû le laisser partir au bout de six mois. Pourtant, j'ai connu des gens par la suite, des gens avec des bas blancs qui ont été d'excellents directeurs. Non, ce n'était pas à cause de ses bas blancs ! C'était son manque de jugement qui l'avait fait se présenter dans un grand restaurant avec des bas blancs. Céline s'était servie de son intuition.

Trust me !

Contrairement au français, l'anglais a deux façons de traduire le mot « confiance ». *Confidence,* la première, implique toujours des raisons logiques de faire confiance. Mais *trust*, la seconde, méprise la raison et n'obéit qu'à l'intuition du cœur. Les Américains ne diront jamais : « *In God we have confidence !* » Rien ne serait aussi ridicule. Ils diront plutôt : « *In God we trust !* » Vous pouvez tout de suite deviner si un Américain vous traite en ami et croit en vous par le mot choisi pour vous exprimer sa confiance. « *I trust you* » est son plus grand gage d'amitié et de respect.

Ce n'est pas le mot *confidence* qui fera agir un Américain, mais bien le mot *trust*. Que la tête ait confiance ne suffit pas. Il faut que cette confiance vienne du cœur. Au Québec, en français, on a senti le besoin de prendre ce mot tel quel : on dit en langue familière : « Le trustes-tu ? » Et l'interlocuteur de répondre : « Non ! » On rétorque à brûle-pourpoint : « Moi non plus ! » On ne donne jamais la raison qui nous pousse à ne pas faire confiance.

Je vois pourtant quantité de gens aujourd'hui qui cherchent à agir avec la tête et, dans un sens large, à vivre avec la tête. Ils calculent, ils expliquent, ils freinent les élans de leur cœur et, au bout du compte, s'enfoncent dans l'inertie.

Pour reprendre encore une fois une image que j'aime bien, ces gens vivent avec le pied enfoncé sur le *brake*. Une crise économique ? Des problèmes personnels, professionnels ? Voilà pour eux autant d'occasions d'enfoncer les *brakes*.

Mais avez-vous déjà essayé de monter une côte sur les *brakes* ?

C'est pourtant ce que font ces gens : ils oublient le cœur et concentrent tout sur la tête. Ils traitent leurs émotions avec méfiance, ne font preuve d'aucune intuition et s'évertuent à chercher des explications à leurs déboires. Bref, ils noient le moteur. Leur tête agit comme un frein sur la partie vitale de leur être : le cœur.

À voir ces gens s'empêtrer, la tentation est grande d'essayer encore d'expliquer comment ils ont pu en arriver là, de soumettre leurs problèmes à des psychologues. Pourquoi pas ?

Mais une explication les fera-t-elle sortir de leur inertie, à plus forte raison quand cette explication ne peut être qu'imparfaite ?

Vous avez dû connaître des problèmes personnels au cours de votre vie. Comment en êtes-vous sorti ?

En élaborant des plans, des stratégies, est-ce que l'on se sort de problèmes ? Ce n'est pas en passant à l'action selon une certaine intuition que le temps passe, que les problèmes semblent se régler par eux-mêmes. Expliquer pourquoi on pleure ne fera jamais faire autant de chemin pour s'en sortir que de pleurer à chaudes larmes pendant un bon bout de temps, puis de passer à l'action !

L'explication de ces problèmes vous a-t-elle suffi ? N'a-t-il pas fallu aussi que le cœur s'exprime, que vous cherchiez la solution avec confiance, avec un sentiment de *trust* ?

La peur des sentiments

Un psychologue, désabusé ou simplement détraqué, écrivit un jour un article qu'il intitula « Ce que l'on appelle l'amour est pathologique ».

En cherchant les racines du mot « pathologique », j'ai découvert qu'il provenait de *pathos*, qui signifie en grec passion. Je me suis alors demandé quel était cet étrange phénomène qui nous avait fait voir, nous, les hommes et les femmes modernes, quelque chose de si morbide dans nos sentiments. Avouez, tout de même, que ce terme ne soulève en nous rien de bien réjouissant !

C'est peut-être pour cette raison, par association d'idées et par notre éducation parfois castrante, que nous éprouvons si souvent un malaise à exprimer nos sentiments. Nous préférons de beaucoup chercher des explications rationnelles à nos actes et à ceux des autres. Au sein même de plusieurs entreprises, ce refoulement peut conduire à de véritables crises internes. Quand j'y suis appelé à titre de conférencier, je sens parfois un tel climat de tension que toutes les pirouettes des patrons et des employés visant à me cacher la situation ne la rendent que plus évidente. Les gens des compagnies taisent leurs chicanes, tout comme les couples cachent les leurs aux voisins. On va même jusqu'à dissimuler nos bons sentiments en plusieurs circonstances. Je connais des patrons qui n'oseraient jamais dire à leurs employés qu'ils sont heureux de leur travail et qu'ils aiment les avoir à leur service, alors qu'ils le pensent.

On a tellement peur des sentiments qu'on passe aisément à l'indifférence, même à la plus bête indifférence.

* * *

Il y a quelques années, Michel et Milana Bagdonov se sont levés à 3 h pour être à temps à leur boulangerie de la rue Sherbrooke, à Montréal. De 4 h à 8 h 30, ils ont cuisiné pains, croissants et gâteaux. Tout cela en vain, puisqu'à 8 h 30, les deux premiers clients, des huissiers, venaient saisir tout ce qu'il y avait dans le local.

Ne sachant que faire des gâteaux et des pains, vers 11 h 30, Milana commença à les distribuer aux passants dans la rue. La propriétaire en pleurs tendit à une dame un gâteau au fromage vanille et poursuivit son chemin. Surprise, la dame demanda à une voisine : « Qu'est-ce qui se passe ? » La femme répondit que les Bagdonov venaient de subir une saisie et qu'ils devaient tout quitter dès aujourd'hui. « Oh ! mais que c'est terrible ! Pensez-vous que je pourrais avoir un gâteau au chocolat ? » ajouta-t-elle. Quelle indifférence ! Où est l'empathie qui pourrait au moins faire taire cette égocentrique ? Cette passante avait-elle peur de pleurer avec Milana ? Avait-elle un cœur ?

On a peur d'exprimer ses sentiments. On a peur de laisser parler notre cœur.

« Papa, je t'aime... »

Moi, le premier, je me suis débattu avec cette peur. J'ai toujours voulu dire à mon père que je l'aimais. Mais il m'a fallu plus d'un demi-siècle avant de lâcher le morceau !

Mon père entamait ses 78 ans. On venait de lui annoncer qu'il était atteint d'un cancer. Ce devait être sa dernière année parmi nous. Parvenant non sans peine à ravaler la boule qui m'entravait la gorge, j'essayais alors de le convaincre de venir avec moi passer ce dernier été de 1981 sur la ferme, au bord de la rivière où je me promettais de l'amener pêcher, comme au temps de mon enfance.

« Mais, Jean-Marc, avait répondu mon père, je peux même plus tenir sur mes deux jambes...

– Ça ne fait rien ! S'il le faut, je te prendrai dans mes bras, je te descendrai moi-même dans la chaloupe ! Après, on mettra nos plus beaux habits et on ira manger dans les plus grands restaurants...

– Pourquoi faire ? Je n'ai pas faim, je ne mange plus.

– Ça ne fait rien ! ai-je répliqué. Tu me regarderas manger... »

Mais la conversation en était restée là.

Dans les jours qui avaient suivi, mon inquiétude n'avait fait qu'empirer. J'étais revenu à la charge et je n'avais toujours réussi qu'à tourner autour du pot. Un demi-siècle de refoulement n'est pas facile à surmonter ! Jusqu'au soir où j'ai enfin réalisé qu'à travers tout cela je ne faisais qu'entretenir ma peur d'exprimer mes sentiments.

Ce soir-là, mon père m'avait souri. On sentait, à regarder son visage, qu'il avait réfléchi de son propre côté et qu'il avait fini par trouver la situation cocasse.

« Jean-Marc, m'a-t-il dit, je n'ai plus huit ans. J'ai 78 ans. Je ne veux pas être gâté comme un enfant.

– Je vais te gâter quand même, me suis-je obstiné à répondre. Je vais te gâter et je vais te dire pourquoi...

À ce moment, j'ai pris ma respiration et les mots sont sortis tout seuls :

– C'est parce que je t'aime. »

Pour la première fois de ma vie d'adulte, à 51 ans, j'avais osé dire à cet homme tout l'amour que je lui portais. Jamais durant ma vie d'adulte je n'avais dit cette phrase.

Et il avait fallu, pour cela, qu'on m'annonce sa mort prochaine.

Il mourut en effet en octobre de cette même année. Aujourd'hui, mon père n'est plus de ce monde, mais l'amour que je lui porte est resté gravé dans mon cœur. Je sais maintenant qu'il me fallait l'exprimer. Je sais que je n'aurais pu le laisser partir sans lui dévoiler mon sentiment.

L'être humain n'est pas une simple « tête » qui explique. Il est aussi un cœur qui s'exprime.

J'ai mis du temps à le comprendre.

Avez-vous un père, une mère, un fils, une fille ou des amis ? Y a-t-il autour de vous des gens à qui vous n'avez jamais osé avouer vos sentiments ? Dites-leur que vous les aimez et surveillez leurs réactions. Ils vous diront : « Quoi ? Es-tu malade ? Peut-être as-tu trop bu ? Tu as dîné à la brasserie, je gage. » Et pourtant…

Quand le cœur n'y est plus

Il n'est jamais trop tard pour revenir à la sagesse du cœur. Il n'est jamais trop tard non plus pour faire appel à sa force d'intuition et d'action.

Mais il est vrai aussi qu'il n'est jamais trop tôt.

Qu'en est-il de nos propres enfants ? Visitant un jour une classe d'enfants, j'ai demandé à la ronde ce qu'ils espéraient devenir plus tard. Question classique. Et j'en savourais à l'avance les réponses. La déception fut terrible.

« Chômage », « salaire », « sécurité d'emploi », voilà ce que les petits bouts de chou me répondirent en majorité. Où étaient passés les détectives, les pilotes de course, les espionnes de jadis ?

« Et toi ? ai-je alors demandé à un garçon qui arborait un chandail du Canadien de Montréal. Avec un chandail comme le tien, tu ferais tout un joueur de hockey !

– Non, m'sieur, répliqua-t-il. Y'a trop de compétition dans le sport… »

Il aurait donc fallu que l'on supprime l'idée de compétition dans le sport ? Que l'on supprime aussi tous les risques ? Et même le risque de vivre ?

Comment des garçons et des fillettes si jeunes avaient-ils pu en arriver à désamorcer ainsi leurs rêves, leurs espoirs ? Où était le cœur à travers tout cela ?

Voyant un jour un garçon occupé à jouer avec un camion de pompiers sur le trottoir, je me suis approché de lui.

« Il est beau, ton camion !

Le gamin a levé le nez.

– Avec un beau camion comme ça, tu vas sûrement faire un excellent pompier plus tard.

– Non, répliqua-t-il. C'est pas possible, je ne peux pas...

– Mais pourquoi ? Avec un si joli camion ?

Alors, le gamin m'a regardé d'en bas. J'avais l'impression étrange que nos âges s'étaient inversés.

– Je ne peux pas, s'obstina-t-il à répondre, parce que la Ville n'engage plus de pompiers... »

Qu'avait-il fait de son cœur ?

On ne pourra pourtant pas dire de cet enfant, comme des autres, qu'il était idiot. Sa logique était au contraire implacable si je la compare à celle de mes petits camarades d'enfance qui rêvaient aussi de devenir pompiers et qui allaient faire leurs premières armes, cachés dans les garde-robes avec leurs cartons d'allumettes !

La vérité, c'est que les enfants sont le reflet sensible du monde adulte. Nous avons peur du risque, nous avons peur d'être déçus, nous avons peur de nos rêves. Nous préférons un monde surprotégé où nous n'aurons plus à faire un pas de plus vers l'inconnu. Et cette situation, nous la faisons vivre à nos enfants. Nous les surprotégeons. J'écris pour moi !

L'expression du cœur, parvenue à ce point, n'est donc plus aujourd'hui uniquement une question d'épanouissement individuel, mais aussi un devoir humain envers ceux qui nous suivent.

Quelle sorte d'influence exercez-vous sur les enfants qui vous entourent ?

Transfert de sentiments ou de connaissances ?

Les jeunes sont plus éduqués aujourd'hui que nous ne l'avons jamais été par le passé. Mais les connaissances, je le répète encore une fois, ne suffisent pas. Transférer des connaissances d'une génération à l'autre, c'est bien, c'est édifiant, mais c'est trop peu, beaucoup trop peu.

Et le transfert des sentiments ?

Nous sommes très préoccupés de savoir quelles connaissances, quelles disciplines et quelles valeurs transmettre aux générations futures. Mais il est stupéfiant de constater à quel point, en revanche, nous traitons les sentiments comme des choses sans aucune portée, dont une bonne éducation pourrait fort bien se passer.

Malgré tout, nous transférons ces sentiments bel et bien à notre insu.

Nous transmettons notre inquiétude, nos peurs, nos doutes, et cela a un effet d'une portée insoupçonnable.

Mais nous le faisons en toute ignorance de cause, alors que nous pourrions tout aussi bien profiter de ce phénomène de transfert pour propager des sentiments positifs.

C'est ainsi que l'on transfère à une génération une impression fausse du travail. On dit au petit enfant qui commence son école maternelle : « Tes beaux jours sont finis. Tu vas à l'avenir devoir te lever tôt et partir pour l'école. Rouler un bout de temps dans un autobus scolaire bondé, etc. » Puis, à la grande fille qui termine son cégep et qui ne veut pas poursuivre à l'université : « Tu vas voir ce que c'est que de travailler, maintenant. L'école, c'est fini. Au boulot ! » Pourtant, on pourrait transférer exactement l'idée inverse en disant que l'école, c'est la découverte du monde ; que travailler, c'est relever le défi pour être utile à la société ! Mon père m'a enseigné, m'a transmis le sentiment que le travail, c'était le fun. Il était machiniste aux usines Angus de la compagnie Canadien Pacifique à Rosemont. J'ai passé mon enfance le long de l'usine et le soir, à cinq heures, j'entendais le sifflet de l'usine annonçant la fin du travail. Je courais alors vers l'usine ; il y avait une porte à la barrière au bout de la 8e Avenue et j'y attendais mon père. Je le voyais apparaître de loin. Tout petit, vêtu de ses salopettes pleines de graisse et d'huile, la boîte à lunch à la main. Je prenais la boîte d'une main, la main du père de l'autre, et on remontait ensemble vers la 4e Avenue où l'on demeurait. Chaque fois, je demandais à mon père : « Tu as fait quoi aujourd'hui à l'usine ? » Il me répondait : « Aujourd'hui, j'ai fait l'essieu avant de la locomotive. C'est très difficile et il faut être un pro pour faire ce travail. » Mon père était fier de son emploi et me transmettait l'idée du plaisir de travailler, malgré le fait que pendant quinze ans, il ne travailla que sur les essieux avant des locomotives.

Le dimanche, nous allions à Joliette voir mes grands-parents. Chaque fois qu'on voyait la locomotive, il me montrait l'essieu avant et disait : « Regarde, Jean, c'est mon essieu. Il est beau ! » Pauvre père, c'était sûrement le sien, il était le seul à faire les essieux avant.

À sa mort, il me laissa quelques outils. Quand je les regarde, je le revois, souriant. Il m'a dit, par ses gestes, par ses attitudes, que travailler ce n'était pas une pénitence mais un plaisir. Passons-nous le même message ?

Une passion contagieuse

J'ai connu un type qui vendait des assurances pour gagner sa vie. Il s'acharna durant 12 ans à vendre ces « documents » dont la lecture était pour lui-même un vrai supplice. Il détestait ce métier. Et il trouvait de bonnes raisons de le détester encore plus : trop de concurrence, trop de compagnies, pas assez de Québécois intéressés, soit qu'ils en aient déjà trop, soit qu'ils n'en aient pas besoin, rendement trop bas, etc. Cet homme était bien malheureux, d'autant plus que ce métier le nourrissait à peine.

« Mais que fais-tu en rentrant le soir ? lui ai-je demandé.

– Moi ? Je joue du piano. Je suis membre d'un trio. On joue dans les *party*, les noces...

– Bon sang ! Pourquoi ne lâches-tu pas les assurances ? Va-t'en jouer du piano !

Il me regarda, étonné.

– Tu en connais, toi, des musiciens qui gagnent leur vie à jouer du piano ?

– Mais si tu ne veux pas en jouer, au moins vends-en ! »

Je venais d'allumer une mèche. Cet homme était un passionné du clavier. Il en mangeait littéralement. L'idée avait rapidement fait son chemin. Il devint vendeur de pianos dans un grand magasin du centre-ville et réalisa, en l'espace d'une seule année, un revenu supérieur à tout ce qu'il avait pu faire durant toutes ces années à vendre des assurances.

Le secret de sa réussite est bien simple : on réussit toujours à vendre ce qu'on aime. La vente est un transfert de sentiments.

C'est tellement vrai qu'une évidence prononcée par une personne que vous n'aimez pas vous semblera souvent mensongère alors que, dite par un ami sincère, vous la reconnaîtrez pour vraie. Transfert de connaissances ou transfert de sentiments ?

Il faudrait vendre seulement ce en quoi l'on croit, rappelle Georges Wenger[13]. On peut lire tous les livres possibles sur la vente, faire de belles présentations, avoir réponse à toutes les objections, il demeure qu'il faut un facteur X, un facteur mystérieux qui correspond à notre croyance dans le produit. Cela paraît dans notre visage. En fait, que dit-il, ce monsieur ? Il dit que la vente est avant tout un transfert de sentiments et non d'idées. Pourtant, combien de vendeurs veulent être rationnels ? Les sentiments d'enthousiasme qui convainquent les clients proviennent avant tout de la foi en son produit, en son service, en son organisation. Les spécialistes de la vente y font souvent référence : c'est ce que Wenger appelle le facteur « X ». Cela implique qu'avant de faire tout son possible pour que l'autre achète ce que tu offres, tu dois d'abord l'avoir acheté toi-même !

Cette vérité élémentaire, reconnue par les psychologues et par tous les grands de la vente, serait de nature à révolutionner littéralement notre système d'éducation. Si seulement les professeurs achetaient tout d'abord ce qu'ils doivent enseigner ! Est-ce excitant, l'anglais ? Sinon, pourquoi vouloir que des jeunes de 12 ans l'achètent ?

---

13. Georges Wenger est chef-cuisinier et propriétaire d'un hôtel/restaurant dans le Jura suisse. Sa cuisine est celle du terroir, elle est très proche de la nature. Tous les produits frais proviennent des meilleures sources régionales et sont livrés quotidiennement au restaurant.

Peut-être, cependant, cette offre pourra-t-elle provoquer en vous une petite révolution. Une petite révolution au foyer, dans la vie quotidienne et au travail !

Avez-vous l'impression de travailler dans un cadre ennuyant, d'être confronté à des mines basses et sans enthousiasme ? À des gens qui ne croient pas en ce qu'ils font ?

Et vous-même, à travers ces déboires, quels sentiments projetez-vous ?

Cela vaut même pour des situations très simples. Les gens manquent d'enthousiasme. Par exemple, je bois beaucoup de café. En fait, j'en bois beaucoup trop. Je rencontre des gens à des congrès qui, à la pause, refusent de boire du café. « Prenez un bon café avec moi », leur dis-je en insistant. « Non, me répondent-ils, cela m'excite ! » Je leur rétorque alors : « Buvez-en ! Cela vous allumera pour la session qui vient ! » En effet, cela pourrait alors les « allumer », comme on dit dans le jargon mécanique. Mais non ! Ils n'en boiront pas et ils mourront en santé. Mais auront-ils vécu ?

Le risque de vivre, le risque de créer

« Sentiments », « cœur », « intuition ». Non, la vie n'est pas faite de certitudes absolues que l'on peut aligner sur un écran d'ordinateur comme des colonnes de chiffres.

La vie n'est pas un équilibre parfait. Le seul endroit où vous trouverez la stabilité absolue, c'est dans un cimetière.

La vie est mouvement. Elle exige de notre part l'expression du cœur. Le mot « émotion » ne provient-il pas d'ailleurs du grec *motion* qui signifie « mouvement » ? Le cœur n'a-t-il pas toujours été représenté, dans la langue populaire, comme l'élément moteur de la vie ? Alors que la tête, au risque de me répéter, faisait figure de freins.

Il faut être franc avec nos peurs et cesser d'en inventer de toutes pièces. Il faut nous libérer de notre obsession à tout prévoir alors que nous savons très bien que c'est impossible.

La vie est par nature imprévisible.

Pourquoi chercher à le nier ?

Aspirer à la sécurité, pour soi et ceux qu'on aime, c'est une intention noble. Mais pour cela, il faut accepter de prendre des risques. Prévoir les choses, c'est possible et désirable. Mais accepter l'imprévisible, c'est accepter la vie et l'insuffler à ceux qui nous entourent.

Pourquoi la créativité semble-t-elle en perte de vitesse aujourd'hui si ce n'est justement à cause de cette « névrose de la sécurité » ?

Créer est par définition un acte audacieux : c'est un passage du connu à l'inconnu. Impossible d'être créatif si l'on se refuse à faire le plongeon !

Ti-Paul et le 5 ¢

Dans les séminaires de créativité auxquels je participe, on raconte souvent l'histoire de Ti-Paul et de ses deux grands frères. Ces derniers avaient un plaisir fou à se moquer de Ti-Paul.

Ils lui montraient une pièce de 10 ¢ et une de 5 ¢, et lui demandaient de choisir entre les deux, en se tenant les côtes à l'avance. Immanquablement, Ti-Paul choisissait la pièce de 5 ¢, plus grosse et aussi plus jolie. Et les deux frères éclataient de rire. Était-ce possible d'être aussi bête ? Ils recommençaient le tour et, chaque fois, Ti-Paul choisissait le 5 ¢ et, chaque fois, les deux frères se bidonnaient.

Mais le père, qui assistait un jour à la scène, en eut assez de voir son fils se faire berner et décida d'intervenir.

« Ils sont en train de se payer ta tête, dit-il. Essaie de raisonner, Ti-Paul. Le 10 ¢ est plus petit que le 5 ¢, mais il vaut beaucoup plus, deux fois plus. Tu ferais mieux de le prendre.

– Je le savais, répondit Ti-Paul. Mais si j'avais pris le 10 ¢ la première fois, ajouta-t-il, ils ne seraient jamais revenus me faire le tour... »

Pour Ti-Paul, le 10 ¢ représentait le connu : il était certain d'y gagner en prenant cette pièce plutôt que l'autre. Mais il n'y avait pas de possibilité de gagner plus !

En revanche, le 5 ¢ représentait l'inconnu : il n'était pas certain que ses deux frères reviendraient lui faire le tour.

Il a pourtant choisi cette seconde voie, et c'était la marque d'un esprit créatif.

Mais la vraie morale de cette petite histoire, c'est que le cœur, l'intuition qui vient des tripes, prévoit mieux que la tête.

Ti-Paul avait senti ce qui allait arriver, il avait senti que ses deux frères y prendraient goût. En langage commercial, il avait flairé la bonne affaire.

Et vous, à l'exemple de Ti-Paul, qu'avez-vous flairé comme bonne affaire cette semaine ? Au contraire, avez-vous tout planifié ?

Prendre la bonne décision

Dans le journal *The Gazette* du 17 février 2006, on titrait un article ainsi : « *Got to make a decision? Forget about it, study says.* » (Vous avez à prendre une décision ? Oubliez.) Des chercheurs de l'université d'Amsterdam font des études sur l'écoute de l'intuition, de ce que l'on a au fond des tripes. Ils prétendent que les gens ne peuvent consciemment considérer et comparer qu'un nombre limité d'informations. L'inconscient, lui, peut en considérer et en pondérer de grandes quantités. Ils ont tenté une expérience. Ils ont présenté à des étudiants universitaires quatre voitures hypothétiques qui comportaient chacune quatre qualités particulières. La moitié des étudiants ont alors été occupés avec des jeux de mots mystère pour que leur cerveau conscient soit occupé à autre chose que choisir le meilleur véhicule. L'autre moitié a été assignée à réfléchir sur le choix à faire en comparant les avantages et les inconvénients de chaque modèle. Après quatre minutes de réflexion, on leur demanda de faire le choix final. Plus de la moitié des élèves occupés à faire des mots mystère ont choisi le bon modèle. Seulement 25 % de l'autre moitié, occupés à tenter de comparer toutes les considérations, réussirent à déterminer quel était le bon véhicule. Surprenant, n'est-ce pas ?

Ces chercheurs conseillent aux gens, au moment de prendre une décision, d'amasser le plus de renseignements possible, puis de prendre une pause ; seulement après cette pause devraient-ils décider ! Et si la décision ne vient pas, il faut alors amasser plus de renseignements. Mais dans notre monde, fait-on souvent confiance à notre intuition ?

Les deux « P » de notre monde moderne

Notre insécurité nous a poussés à deux attitudes différentes mais complémentaires : prévoyance et permanence. C'est ainsi que, pour le premier P, cette insécurité nous a menés à tout prévoir pour éviter le risque. La venue d'un enfant est prévue des années à l'avance. On prévoit même à quel mois devrait naître l'enfant : c'est tellement plus pratique l'été. On n'a pas besoin d'habiller le bébé. On prévoit par la suite ses boires : tous les quatre heures, pas avant, pas après.

On demande à des enfants de treize ou quatorze ans quel est leur plan de carrière. Pourtant, quand on demande à certaines personnes si elles avaient un plan il y a trente ou quarante ans, elles répondent : « Non, mais ce n'est pas la même chose. »

J'ai même réalisé à mes dépens cette erreur de vouloir tout prévoir. Le 6 mai 1985, dans une chambre d'hôpital de l'Hôtel-Dieu de Montréal, on annonça à ma femme et à moi qu'elle était atteinte d'un cancer et qu'elle n'avait que 20 à 25 % de chances de passer l'année. Je me souviens être retourné ce soir-là à la ferme dans l'Outaouais, complètement défait. Je me répétais dans ma voiture : « C'est impossible. Elle n'a que cinquante-deux ans. Il y a une erreur. On avait tout prévu : la retraite ou, du moins, un ralentissement à soixante ans. » Et tout à coup j'ai compris : jusqu'à ce jour, j'avais passé ma vie à tout prévoir et j'avais oublié de vivre.

Les seules choses à prévoir sont les solutions de remplacement lorsque telle situation se présente. On ne peut prévoir la température qu'il fera à un congrès des mois à l'avance, mais on peut prévoir ce que l'on fera s'il fait soleil et ce qu'on fera s'il pleut.

* * *

Voici l'histoire d'un Québécois qui, parti pour chasser le gorille en Afrique, se trouva surpris, en arrivant sur le territoire, de n'en voir aucun. On lui avait dit qu'il y en avait tellement ! Il était d'ailleurs désemparé par les armes que son guide avait apportées : une petite carabine de calibre 22, à peine capable d'égratigner la bête, un chien borgne aux oreilles molles qui n'avait probablement jamais chassé, et enfin une paire de menottes qui n'était utile que lors de l'arrestation d'un criminel.

Voyant son inquiétude, le guide lui décrivit alors sa façon de chasser : « Les forêts ici sont remplies de gorilles, mais vous ne pouvez les voir, car ils sont grimpés dans les arbres. Moi, je vais monter dans un de ces arbres et le secouer avec une telle vigueur qu'un gorille va lâcher prise et tomber à quelques pas de vous. Vous pourrez alors observer que ce chien qui vous semble inapte à la chasse a dûment été entraîné : aussitôt que le gorille touche le sol, le chien lui saute dessus juste au niveau des organes génitaux. Le gorille, sous le choc de la douleur, lève ses deux pattes de devant ; c'est alors que vous pourrez lui passer les menottes. »

Un peu surpris, et même enchanté, le Québécois demande à son guide : « Mais alors, que dois-je faire de la carabine 22 ? » Et le guide de rétorquer : « Si, au lieu du gorille, c'est moi qui tombe de l'arbre, tuez le chien ! » Cette façon de chasser prévoyait toutes les possibilités : ou bien le gorille tombait de l'arbre, ou bien c'était le guide ; dans chacun des deux cas, le scénario était différent.

* * *

Puis, une fois que les plans sont faits, les budgets bien élaborés, on les imprime en plusieurs copies. Ils deviennent alors inchangeables. Ils ont acquis le statut de permanence. Et voilà le deuxième P : permanence. Je vois des gens demander à leur patron : « Où me vois-tu dans l'entreprise dans cinq ans ? » Je leur dis alors : « Ne demande pas cela à ton patron. Il ne sait même pas s'il sera là l'an prochain ! » La permanence, cela n'existe pas sur terre.

Ces deux P, quand on les regroupe, expliquent toute l'importance qu'on a donnée dans nos vies au mot « sécurité », au fait de vouloir tout savoir à l'avance, de vouloir voir les choses réglées pour longtemps. Pourtant, si on écoutait plus son cœur, on réaliserait que la vie est un risque. Le flair de Ti-Paul, on l'a tous en nous. Si seulement on cessait de ne faire confiance qu'à la tête et à ses concepts...

L'expérience de la famille d'Anne Frank

La plupart des gens ne s'embarrassent pas à sentir les choses : ils font des prévisions basées sur des critères rationnels. Ils n'osent se servir de leur intuition. À l'opposé du principe de créativité, ils cherchent plutôt à se rassurer sur leur avenir.

Ils ont un certain standing de vie et cherchent à le protéger. Leur relation avec la vie en est d'ailleurs une de sécurité et de protection.

Mais le plus absurde, c'est que cette relation sécurisante n'est malheureusement pas un gage de sécurité. À l'extrême, elle rend même de plus en plus vulnérable.

Durant la Deuxième Guerre mondiale, des convois de fugitifs se faisaient régulièrement rattraper par les soldats allemands. Les charrettes étaient à ce point remplies d'objets et de meubles auxquels ils ne pouvaient renoncer que leurs chevaux s'épuisaient, quand ce n'était pas eux-mêmes.

Le *Journal d'Anne Frank*, qui dresse le portrait d'une famille juive de l'époque, malgré ses grandes qualités humaines, n'en est qu'une illustration malheureuse. Les Frank avaient des amis bien placés à l'étranger. On les avait avertis de ce qui les attendait s'ils demeuraient en territoire nazi. Pourquoi n'ont-ils pas fui ?

Au lieu de cela, le père préféra aménager une cachette à l'arrière de sa maison. Pour lui, préserver les liens familiaux, continuer de vivre dans la tradition familiale était plus important que tout. Pire encore : son stratagème faillit être mis au jour par les nazis tellement il mit de temps à s'assurer que tous ses meubles et objets de valeur étaient à l'abri. Avait-il seulement prévu un revolver au cas où un nazi en tournée trouverait sa cachette ? Pas du tout !

Dans les mois qui suivirent, serrés les uns contre les autres dans leur petit cocon, les Frank continuèrent à vivre comme si de rien n'était. Au lieu de leur enseigner des méthodes de survie et de fuite, le père se borna à enseigner à ses enfants !

Comme si de rien n'était...

Mais quelque chose « était » !

La cachette fut découverte. Et toute cette aventure se termina dans un camp de la mort.

Monsieur Frank avait joué la carte de la sécurité. Le risque d'agir, le risque de fuir, de faire face à la menace, quitte à se séparer de ses biens, de ses enfants, en les envoyant ailleurs, en réagissant à temps, ce risque lui avait paru inadmissible.

C'était la tactique de l'autruche. Il n'y a, bien sûr, aucun nazi aujourd'hui ! Mais il y a la folle guerre des extrémistes, de ces gens qui pensent que la vie de l'autre est secondaire par rapport au fait de faire valoir leur point de vue. Non, la paix est loin d'être une certitude. On ne peut la concevoir permanente. Mais la vie ne l'est pas non plus. La vie, c'est une loto ! On tire à la naissance un ticket. On a peut-être le billet gagnant, ou peut-être le billet perdant. Qui sait ! Mais il faut faire avec et poursuivre son chemin.

Nos sociétés sont marquées par le signe de la pluralité, de la diversité, par le signe d'un choix plus varié qu'il ne l'a jamais été à tous les points de vue. Même si cette diversité nous cause d'autres problèmes, soit le racisme, la violence, les grandes inégalités de cette terre. Mais encore là, toutes ces difficultés peuvent aussi vouloir dire possibilités, chances de tenter quelque chose de nouveau.

Il y a beaucoup de choses de faites aujourd'hui. Par conséquent, il y a aussi beaucoup à faire.

Mais pour le faire, il faut en accepter le risque !

Il ne faut pas aspirer à s'emprisonner dans un cocon de sécurité malsaine.

La vie est un risque !

Aimer la vie, c'est en accepter les risques.

Un nouvelle bombe se prépare-t-elle ?

Assez paradoxalement, la menace terroriste, qui devrait rendre futile toute recherche de sécurité maximale dans nos vies, a beaucoup contribué, au contraire, à nous la rendre plus obsédante.

L'idée d'une guerre terroriste où l'ennemi n'est pas clairement déterminé semble paralyser certains d'entre nous et inspire à certains autres une attitude cynique.

Le Suédois Wahlenberg, qui sauva plusieurs Juifs de l'extermination durant la Deuxième Guerre mondiale, prononça cette déclaration lourde de sens : « La pire chose que les Allemands ont faite aux Juifs, c'est de leur faire croire que tout était fini, qu'ils avaient perdu. »

N'est-ce pas ce que certains de ces extrémistes s'acharnent à nous faire croire aujourd'hui en invoquant la menace de leurs actes insensés ? Ils seront les gagnants. La pire chose, c'est d'avoir peur. Le dernier recours des gens serait-il de se renfermer dans une illusion sécurisante, un peu à la manière de la famille Frank enfermée dans sa petite cachette ? Le monde est un immense village. On ne peut plus se cacher.

Mais tant que la tête sera là à expliquer les choses indéfiniment, le cœur ne pourra s'exprimer. Pour agir, il faut que notre cœur entre en scène et que l'on cesse d'avoir peur, c'est-à-dire qu'on soit capable peut-être d'aller au-devant des gens ! Suivre le conseil de mère Teresa : briser le cercle de la solitude. Mais cela ne se fait pas avec la tête.

Quand laisserons-nous le cœur s'exprimer sur les questions essentielles de la vie ? Comme le disait si bien un de mes adolescents: « Slaque la valve. » Ce qui veut dire : « Laisse-toi aller ! » Vis la vie !

Un aller simple... pour le désert

Certaines rencontres demeurent gravées dans notre cœur. Des rencontres qui nous galvanisent et nous redonnent un espoir grand comme le monde.

Avec ma femme Céline, nous avions entrepris il y a quelques années un voyage au Kenya. Les tigres, la forêt dense, tout nous fascinait. La grande aventure, en quelque sorte. Mais nous avions pris soin, comme le dit l'annonce, d'apporter nos cartes de crédit et de prendre, cela va de soi, un billet aller-retour.

Arrivés au Kenya, pas de tigres (évidemment !). Et au lieu de la forêt dense : un désert étouffant où soufflait un vent d'apocalypse ! En réalité, ce n'était pas du vent mais de la braise ! Le thermomètre baissait à 30 °C à l'ombre seulement. Et comme il n'y a pas beaucoup d'arbres dans le désert, je vous laisse imaginer les records de vitesse que nous devions battre pour éviter de flamber sur place entre la tente et le plus proche coin d'ombre !

Nous étions pourtant ravis de notre séjour. Mais pour d'autres raisons.

Depuis plusieurs années, les religieux étaient venus dans cette région désertique appelée Turkana, non loin du lac Turkana, pour s'occuper de la tribu des El Mollo. Et c'est ainsi que nous avons fait la rencontre exaltante d'un vieux Père Blanc, aux soixante-dix ans bien tassés, dont cette mission était l'initiative.

À notre arrivée, il montra un vif intérêt pour le Québec, qui était aussi sa région natale, quoiqu'il en eût perdu la notion. Son départ remontait en effet à plus de quarante-trois ans !

« Vous êtes parti comment ? demandai-je. Par avion ?

– À cette époque, Jean-Marc, on prenait le bateau.

– Oui, mais vous aviez un aller-retour, ça rassure.

– Pas du tout. Dans ce temps-là, on te donnait l'aller simple en disant : "Débrouille-toi avec le reste !" »

Un aller simple, y avait-il meilleure image pour décrire le risque de vivre ?

Plus tard, quand je suis revenu au pays, j'ai vu exactement l'image contraire : une société de billets aller-retour ! Trente-trois millions de Canadiens demandant un aller-retour pour ci, un aller-retour pour ça. Trente-trois millions de Canadiens refusant de prendre des risques sans garantie et sans assurance ! Que dire de nos supposées crises politiques où tous nous cherchons à protéger les acquis, le train de vie, la sécurité, les droits acquis !

Avez-vous pris des risques récemment ?

Nous sommes-nous engagés dans quoi que ce soit sans réclamer de garantie ? En y mettant tout notre cœur ?

Le sentiment de la mission

Avec une passion qui ne s'était nullement démentie avec les années, le vieux Père Blanc du Turkana nous raconta son histoire et nous fit visiter sa mission. Pauvreté, famine, maladie, telles étaient les données du problème. Sitôt débarqué du bateau, il entreprit donc de bâtir un hôpital de ses propres mains avec l'aide des Turkanas. L'œuvre de quarante-trois années d'efforts et de persévérance.

Bien sûr, ça n'avait rien de commun avec nos cliniques modernes. Mais il m'en parlait avec fierté, comme de l'Hôtel-Dieu de Montréal ! C'était en réalité une simple cabane en bois dans laquelle il avait casé une trentaine de lits. Des vieux lits sauvés du dépotoir et ramenés en bateau.

Parmi le peu de mobilier médical, on retrouvait même une vieille chaise de dentiste retapée dont la fabrication, à Seattle, remontait aux années 1920. La salle de maternité (puisqu'on accouche aussi dans le désert du Kenya !) comportait quatre lits et de grandes armoires où s'étalait, rangée avec soin, sauvée elle aussi du dépotoir et minutieusement rapiécée, la layette des nouveau-nés.

Je buvais toutes ses paroles et j'ouvrais grands les yeux comme un enfant. Sur le chemin du retour, je regardai ma femme.

« Céline, j'ai fait une découverte...

– Laquelle ?

– Si cet homme s'appelle un missionnaire, c'est qu'il a une mission à accomplir.

Ma femme me dévisagea d'un air amusé :

– Dis donc, tu en fais des découvertes ! »

Mais pour le Nord-Américain que je suis, c'en était bien une.

Je découvrais qu'on pouvait envisager la vie non seulement sous son angle rationnel, en tirant des plans, en raisonnant, mais avant tout en suivant ses émotions, en laissant parler son cœur. Je découvrais, grâce au Père Blanc, que le sentiment de la mission provenait d'un état d'esprit, que la mission n'était pas tant dans les buts atteints que dans la manière dont nous envisageons la vie.

Pour le Père Blanc, c'était la recherche de Dieu.

Pour quelqu'un d'autre, il s'agirait d'autre chose. Pour le chef d'une PME, ce serait de s'imaginer le sourire épanoui d'un client devant son produit qui répond à un besoin important ; pour l'agent d'assurance-vie, ce serait les remerciements sincères de la mère, veuve avec quatre enfants, qui se sent financièrement à l'abri.

Pour toi qui me lis, quelle est ta mission ? Drôle de question à poser quand on cherche en fait un étalage de missions et un guide pour nous aider à y faire son choix. Dans les écoles, on les appelle des orienteurs, ou des conseillers en orientation !

L'ingénieur fou

La même émotion qui m'avait saisi devant le petit hôpital au milieu du désert allait me reprendre, à nouveau, devant un des plus étranges monuments qui existe : la tour Eiffel.

Chaque fois que je vais à Paris, je ne peux résister à la tentation d'y faire un détour. « C'est "quétaine", voir la tour Eiffel ! me disent mes amis. C'est une vraie mentalité de touriste... »

Mais je n'y vais pas en touriste. Une virée à la tour Eiffel, c'est comme un pèlerinage au pays de la folie et de l'audace.

Ce qui m'attire vers cette tour, c'est sa totale inutilité.

La tour Eiffel ne sert strictement à rien ou, du moins, ne servait à rien à sa création. Elle est maintenant une antenne géante pour la radio et la télévision. Mais au moment de sa construction, M. Eiffel n'avait aucune idée à quoi servirait son chef-d'œuvre.

C'est l'œuvre d'un « fou » nommé Gustave Eiffel.

Ce fou construisit une petite maquette vers la fin du siècle dernier et la montra à plusieurs de ses compatriotes.

« C'est insensé, lui avait-on répondu de toutes parts. Une tour de plus de 300 mètres, en acier, c'est inconcevable. Mais vouloir en plus la bâtir sur les terrains près de la Seine, c'est de la folie furieuse. Le sol va s'effondrer, car il est fait de sol très argileux.

– La pression exercée par ses quatre pieds, avait répliqué Gustave Eiffel, ne sera pas plus grande que celle de la chaise sur laquelle vous êtes assis... »

Personne ne l'avait cru.

Une tour de ce poids qui créerait aussi peu de pression que les quatre pattes d'une chaise ? Il fallait être fou pour le croire.

Mais c'était vrai.

Gustave Eiffel avait tracé ses plans et conçu sa maquette de façon à répartir le poids de sa tour avec une précision si diabolique que sa pression sur le sol serait presque négligeable.

Comme personne n'aurait voulu risquer un traître sou dans l'aventure, il décida d'y consacrer toute sa fortune personnelle.

Mais au commencement des travaux, un autre pépin se déclara : la tour effrayait les ouvriers. La seule idée d'avoir à ériger ce monstre d'acier les glaçait de terreur. Quand il lança des appels d'offres à plusieurs entrepreneurs pour ériger la tour, aucun n'osa déposer une soumission. Imperturbable, Gustave Eiffel recruta alors partout en Europe des centaines d'acrobates qui avaient l'habitude des hauteurs.

En quelques mois, les travaux furent achevés ; ce qui allait bientôt devenir le symbole même de la France se dressa dans le ciel de Paris : 300 mètres d'acier, 1 672 marches, 40 minutes d'ascension dans les escaliers. La tour Eiffel était née !

Bon prince, Gustave Eiffel en fit cadeau à la Ville lumière pour la modique somme de 1 franc. Mais il se réserva le droit de prélever un prix d'entrée sur chaque visiteur pour les quelques années à venir.

Le jour de l'inauguration, en juin 1889, 23 202 personnes payèrent pour monter au sommet. La tour reçut cette année-là 1 968 287 visiteurs.

Malgré tous ces succès, les gens de la haute société protestèrent encore. Dans un manifeste signé par plusieurs personnalités, ils déclarèrent : « Nous venons protester contre l'érection en plein cœur de notre capitale de l'inutile et monstrueuse tour Eiffel. »

Gustave Eiffel n'en avait pas moins réalisé son rêve qui allait faire de lui un millionnaire.

C'était un geste de pure folie.

Sa mission reposait sur l'idée que « tout est possible ».

La mission du Père Blanc reposait sur la foi en Dieu.

L'un comme l'autre, ils ont exprimé de façon admirable la nature irrationnelle de la vie. Ils ont suivi, tous les deux à leur manière, les lois créatrices du cœur.

Pourrait-on les suivre dans nos propres vies ? Oui ! Si on veut avoir une foi assez forte en sa propre intuition et courir le risque d'être un peu fou au départ ! Je le sais, je l'ai essayé. Ça marche la plupart du temps !

Ce que j'aimerais laisser en héritage

À l'occasion d'une visite dans une prison à sécurité maximale, un gars m'avait posé une question qui m'avait laissé abasourdi.

« Jean-Marc, m'avait-il demandé, quand tu vas mourir, tu veux laisser quoi à tes enfants ? Un compte bancaire ? Une maison payée ? Un commerce florissant ? » J'aurais pu dire oui à chacune de ces questions, mais je suis demeuré sans voix.

Longtemps après, cette question a continué de me trotter dans la tête. J'essayais d'envisager sous tous les angles possibles ce qu'un père digne de ce nom devait laisser à ses enfants. Jusqu'au jour où je me suis aperçu, en laissant parler mon cœur, que les biens matériels n'étaient qu'une partie superficielle de mon testament. L'argent n'est pas irremplaçable : ce n'est pas une valeur ou une chose qu'on ne puisse pas gagner d'une manière ou d'une autre.

Mais, en revanche, rien ne remplace l'enseignement d'une vie, l'apprentissage de sa liberté, de sa folie.

Maintenant, je sais que la première phrase de mon testament proviendra du cœur et non de la tête. Elle sera le résumé du chapitre que vous venez de lire : « La vie est irrationnelle. Il faut vivre avec son cœur ! »

Chapitre 4

Revenir à l'humain

J'ai exploité durant quelques années une ferme dans la campagne outaouaise, ou plutôt mon fils l'a exploitée avec mon aide. Je m'étais découvert une passion pour l'élevage des lapins. Il faut dire aussi que les politiques des éleveurs ne nous laissent guère le choix. C'était ça ou payer une fortune en droit d'élevage. Comme les lapins ne faisaient pas l'objet de trop de règlements et qu'ils n'intéressaient personne, nous avions donc sauté sur l'occasion.

Puis j'ai tenté de les vendre. Il ne se passait pas une seule conférence, pas une seule émission de radio ou de télévision où je ne glissais une blague ou deux à propos de mes chers lapins. Et ma boutade préférée était, et est toujours, que mes lapins, avant d'être ceci ou cela, étaient tous des lapins. Quand je pénétrais dans mon clapier, je ne tombais jamais nez à nez avec des « lapins-directeurs », des « lapins-dentistes » ou des « lapins-professeurs ». Mon auditoire me regardait alors, étonné, et beaucoup n'avaient pas l'air de me suivre... Il leur fallait une fraction de seconde pour saisir la blague.

Les directeurs de compagnie me prennent souvent à part pour me dire : « Je sais où tu veux en venir. D'ailleurs, Jean-Marc, c'est justement la philosophie de notre compagnie. Nous formons tous ensemble un grand clapier, comme les lapins. Nous sommes tous des humains. Tous ensemble sans distinction ! Mais comme ils sont nombreux, nous avons un grand plan pour pouvoir les retrouver. Ici le directeur, ici le chef des ventes, là le directeur de la production, ici le directeur de la qualité, là le directeur des finances, etc. Et sous cet assemblage de petites boîtes, il y a un groupe d'individus qui font le travail ; ils ne sont jamais dans l'organigramme, mais ils représentent des chiffres... tout au bas. »

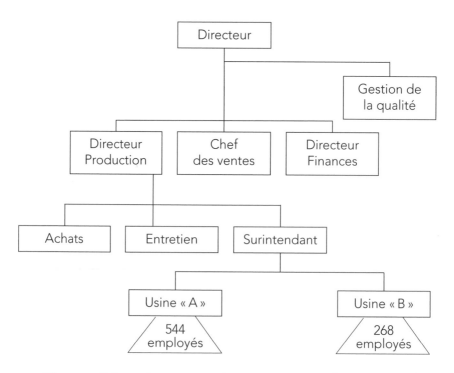

Chaque fois qu'on me présente ces organigrammes, j'ai toujours une question pour mon interlocuteur : « Mais où sont les clients ? » Et la réponse est toujours la même : « Vous ne comprenez pas. Ceci est l'organigramme de notre organisation. » Je leur rétorque alors : « Mais vous n'avez pas besoin d'organigramme de votre organisation si vous n'avez pas de clients ! »

Remarquez que cela s'applique également à l'école qui vous présente son organigramme : Où sont les élèves ? Ou encore à l'hôpital : Où sont les patients ? Ou au CLSC : Où sont les bénéficiaires ?

Devant leur air hébété, je les surprends avec une image très forte. Et ici, je vous demande, chers lecteurs, de ne pas vous offusquer avec mon langage cru et même vulgaire : je le fais pour favoriser la compréhension de cette notion qui perdure malheureusement dans nos organisations. Merci de bien vouloir m'excuser. Je les arrête donc et leur dis : « Mais ça n'a rien de vraiment humain, votre plan. Savez-vous ce qu'il est dans la réalité, votre organigramme ? C'est un grand dessin qui dit à tous dans l'organisation qui peut donner de la merde à qui et en quelle quantité. Plus tu montes dans l'échelle, plus la braoule[14] est grande. »

Voyez-vous, la vie n'est pas faite comme une échelle. Les gens n'entrent pas dans des petites cases. Les lapins dans les clapiers n'ont pas d'organigramme.

Pourquoi sommes-nous là ?

Combien de directeurs, d'employés, combien de gens travaillant dans un service ou dans un autre se sont demandé une seule fois : « Pourquoi suis-je là ? »

La question est-elle si compliquée ? Ou alors ont-ils peur de se la poser pour ne pas avoir à répondre franchement : « Pour rien » ? Ce qui les obligerait à céder leur place ! Ou bien parce

---

14. Nom (très) commun, disparu des dictionnaires : « pelle à merde ».

que la vraie réponse, la seule réponse possible, les obligerait à révolutionner leur façon de voir et leur façon de faire ?

Cette réponse, vous la connaissez. Pas besoin de grandes études ni d'analyses compliquées. D'une façon ou d'une autre, tous les gestes que nous faisons comme membres de la société sont destinés à servir l'humain, l'humain pour qui on a créé l'école, pour qui on a créé l'hôpital, l'humain grâce à qui les compagnies existent et prospèrent.

Nous sommes là pour l'humain, pour l'humain que nous sommes et l'humain que les autres sont autour de nous. Et si un système ou une façon de voir s'opposent à cette vérité de base, alors il faut avoir l'audace de les remettre en question.

Est-ce moralisateur ? Non, c'est une simple question de gros bon sens !

Quand je rentrais dans mon clapier pour nourrir mes lapins, je n'avais pas à leur rappeler qu'ils étaient d'abord et avant tout des lapins. Alors que beaucoup de gens, en revêtant leur complet de directeur, leur casque d'employé, leur salopette ou leur sarrau de médecin, ont tendance à oublier qu'ils sont avant tout des humains, et des humains à part entière. On s'illusionne royalement si on croit que la vie est présentée par les images que l'on voit à la télévision. La vie, ce n'est pas une tarte avec ses six pointes. C'est un tout complet qu'il faut vouloir réussir. Pourtant, notre société aime les étiquettes au point de vouloir en donner à chacun. Ainsi, on cherche toujours à me plaquer un de ces titres : motivologue, motivateur, conférencier, philosophe… Je ne suis aucun de ces titres, et tout cela à la fois.

Les gens ne sont pas des « moitiés d'humains ». Chacun de nous est humain à part entière. L'humain n'est pas une facette de notre vie, c'est notre vie ! D'ailleurs, comment peut-on dire à un employé de laisser ses problèmes familiaux à la maison quand il vient travailler ? Est-ce possible de vivre séparé en compartiments ?

Organiser ou se faire organiser?

Dans les compagnies que je visite, et dans les rencontres auxquelles j'assiste, on parle beaucoup d'« organiser ».

Prenez le journal et vous verrez cela sur plusieurs colonnes : « Une compagnie fait faillite par manque d'organisation », « Les gens ne vont nulle part parce qu'ils ne savent pas s'organiser », etc. L'organisation est devenue la hantise des hommes et des femmes modernes. On organise tout, même les loisirs, même la vie de couple ! Et on organise tellement que l'idée d'organiser prend le dessus et qu'on finit par oublier pourquoi on s'organise.

La conséquence la plus grave de ce phénomène, c'est que l'organisation nous fait oublier l'humain et nous fait perdre la souplesse, la créativité, l'élan vital dont nous avons besoin pour répondre à ses attentes, pour répondre à nos propres attentes !

Je ne suis pas contre l'organisation. Comme ancien professeur à HEC, je sais mesurer tous les avantages d'un bon système dans l'industrie, dans le secteur public et même dans la vie d'un individu.

Mais je constate que les systèmes, aussi brillants soient-ils, n'en demeurent pas moins des plans rationnels. Et, qu'on le veuille ou non, la vie leur opposera toujours son caractère imprévisible, instable, irrationnel.

Les systèmes composent avec des humains de chair et d'esprit, et non avec des choses. Comment peut-on rendre service à l'humain, comment peut-on se rendre service à soi-même si on rejette sa nature humaine, émotive et irrationnelle, et même imprévisible ?

Voyez-vous l'humain comme un grain de sable dans la machine ? Comme un fauteur de troubles dans une organisation bien rodée ? Ou comme son principal acteur, celui qui devrait se placer au-dessus de tout ?

La qualité totale

On sait toute l'envergure qu'a prise le mouvement de la qualité totale. Avec raison, d'ailleurs ! Il faut être compétitif, éviter les erreurs et continuellement viser la perfection. C'est ainsi qu'il y a quelques années, la compagnie General Electric, sous l'impulsion de son président d'alors, M. Jack Welch, adopta un programme de qualité totale. Il s'appelait « 6 sigma » ! En fait, celui-ci visait à faire en sorte que par million d'occasions, c'est-à-dire par million de fois qu'une erreur pourrait se glisser, on n'aurait pas plus de trois ou quatre erreurs. Wow ! Imaginez ce que cela voulait dire. La compagnie a atteint ce degré de perfection et a réussi à le maintenir. Elle l'a fait pour satisfaire des clients de plus en plus exigeants. Cependant, lors d'un congrès, je discutais avec un des dirigeants de cette entreprise au Canada et il me semblait, à l'entendre me vanter son programme, qu'il avait une petite réticence. Mis en confiance, il m'avoua qu'à un moment donné il avait fallu rectifier le tir. Le programme de qualité totale était devenu un but en soi, mais on avait oublié le client qui, lui, exigeait de l'innovation. De fait, leur programme prônait d'écrire tout ce que les gens faisaient, et cela, en détail, de façon à ne jamais oublier le moindre petit geste qui devait être fait à la perfection. On disait qu'une fois ces gigantesques manuels rédigés, il ne fallait en aucune façon y déroger. Et c'est là que le bât blessait ! Craignant tellement de faire une erreur, on n'osait jamais essayer de changer quelque chose. Il n'y avait presque plus d'améliorations sur les produits et sur les services. Le client était ainsi pénalisé. Le système avait en quelque sorte gagné sur le client.

Des bananes jaunes, s'il vous plaît !

J'ai l'habitude de manger très peu avant de prononcer une conférence le soir. Je tente de me trouver des fruits ou du yogourt si possible. Un jour, en voyage, avant de me rendre à la salle où avait lieu la rencontre, j'allai à l'épicerie me chercher quelques bananes.

En arrivant, je demande au premier commis que je rencontre :

« Où sont les bananes ?

– À l'arrière, sur la grande table ! » me répond-il.

Je cours dans l'allée et j'arrive à la table : il n'y a que des bananes vertes et noires. Je les mange jaunes depuis de nombreuses années. Je lui demande d'avoir si possible des bananes telles que je les aime. Il me répond : « Ah oui ! ce sont les bananes de la semaine dernière. Les noires, ce sont les jaunes de la semaine dernière. Les vertes demeurent dures et ne deviennent jamais jaunes ; elles ne mûrissent jamais. Il faudrait que vous veniez un jeudi pour avoir des bananes jaunes. »

J'étais surpris de cette réponse au point qu'à mon retour à Montréal, je demandai au siège social pourquoi il n'y avait pas de bananes jaunes le mardi. Et encore, j'eus une réponse surprenante. « Vous avez raison : il n'y a pas de bananes jaunes le mardi. C'est un problème de logistique. Nous avons de très gros camions et il ne serait pas économique de les envoyer sans une pleine charge de bananes. » Je comprenais, certes, mais je m'en foutais de son problème de logistique. Qu'ils livrent les bananes jaunes avec un petit camion ou même avec une motocyclette m'était tout à fait indifférent. Moi, le client, je voulais des bananes jaunes le mardi. Mais le système avait pris le dessus et se foutait complètement du client.

Une société parfaite

Bien sûr, le monde serait parfait si on n'avait pas à tenir compte d'une clientèle et, d'une façon générale, si on n'avait pas à tenir compte des humains.

« Tu sais, Jean-Marc, m'avaient confié des directeurs d'école, quel est le pire problème dans nos établissements ?

– Je ne sais pas... Le budget ? Les crayons ? Le papier ? Les livres ?

– On voit bien que tu ne travailles pas dans une école.

– Non. Alors, c'est quoi votre pire problème ?

Ils prirent un air découragé et lâchèrent un profond soupir :

– Les écoliers, Jean-Marc... Les écoliers ! »

Fascinant, vous ne trouvez pas ? Évacuez tous les écoliers, videz les classes et vous aurez l'école parfaite. Tous les plans seraient toujours réalisés. Les horaires de cours ne seraient jamais perturbés.

Malheureusement, les gens ne sont pas parfaits, qu'ils soient enfants ou adultes ; ils sont humains, pour le meilleur et pour le pire. Et les humains demeurent imprévisibles. Dans ces conditions, il est impensable de leur demander de se soumettre à un système, à plus forte raison si celui-ci est tellement bien rodé, tellement bien calculé qu'il ne permet plus d'exprimer la nature humaine.

C'est au système de s'adapter. C'est à lui de refléter la souplesse humaine. Est-il croyable qu'à notre époque des gens ne l'aient pas encore compris ?

Pourtant, à la maison, n'a-t-on pas instauré un système afin qu'il y ait de l'ordre, de la discipline ? Mais pour qui ? De l'ordre en soi, de la discipline en soi ne servent absolument à rien.

Les Japonais et le grand « WA »

J'ai eu dans ma vie la chance de voyager beaucoup partout dans le monde. Je me suis alors aperçu que le voyage ne formait pas seulement la jeunesse, mais qu'il permettait de prendre conscience du côté arbitraire, éphémère, de tout système. Et cette précieuse ouverture d'esprit m'a été donnée en particulier pendant un séjour au pays du Soleil levant.

On a souvent dit des Japonais qu'ils nous avaient imités à la perfection, qu'ils avaient appris très vite nos façons de gérer et de produire. En un sens, rien n'est plus mensonger.

La vérité, c'est que ce peuple s'est inspiré de notre technologie, mais qu'il a recréé tout le reste suivant sa propre philosophie.

Pour la plupart des Japonais, le monde se conçoit comme un grand tout. Serrés par millions sur leur petite île, ils ont appris à mesurer les conséquences de leurs gestes sur l'environnement. Ils savent que jeter des ordures dans une rivière aura tôt ou tard des retombées malsaines.

Chez nous, il a fallu qu'un avocat se promène au bord de la rivière L'Assomption pour que le Québec découvre tout à coup le résultat de plusieurs années de pollution irresponsable. Il a fallu que Richard Desjardins fasse son film, *La forêt boréale*, pour qu'un gouvernement prenne conscience que la forêt pouvait périr si elle était mal exploitée. On a d'abord tiré sur le messager pour tenter de le discréditer. Mais on a dû, à un moment donné, se réveiller et penser à la façon de sauver cette précieuse richesse.

Et que dire du recyclage, de ces bacs verts que l'on dépose à la rue une fois par semaine ! Combien d'efforts a-t-il fallu pour convaincre nos dirigeants qu'on ne devait absolument pas tout enfouir dans nos centres de déchets qui, au rythme où on y déversait nos ordures, ne suffiraient plus dans un avenir rapproché. Enfin, l'accord de Kyoto bat de l'aile avec un gouvernement qui favorise le réchauffement de la planète en permettant l'exploitation à outrance des sables bitumineux de l'Alberta sous prétexte de favoriser la création de richesses. Mais à quel prix ?

Au lieu de laisser les dépotoirs s'accumuler sur l'île, les Japonais utilisent la partie qui pourrait servir de fondation pour agrandir leur territoire sur l'océan.

Le mot « hiérarchie » n'est qu'une façon de parler dans le vocabulaire des Japonais. Selon eux, il n'y a qu'une interrelation de toutes choses et chaque chose dépend du reste.

C'est ce qu'ils appellent le grand « WA », ce qui veut dire équilibre, harmonie.

Dans le grand « WA », le malheur des uns ne fait pas le bonheur des autres. Quand quelqu'un souffre quelque part sur la grande « boule », les Japonais déclarent la « boule » malade.

Dans les années 1980, lors d'un passage chez Yamaha Corporation, j'ai voulu savoir ce qu'il en était vraiment sur le plan des affaires. On me montra alors l'organigramme de la compagnie sur une grande feuille ; je ne pus retenir ma surprise. Au lieu de la sempiternelle pyramide, un cercle ! J'ai alors demandé à mon guide : « Mais comment cela fonctionne-t-il ? » Il m'a regardé en souriant et m'a dit : « Le président de l'entreprise en haut du cercle est directement relié au gars qui nettoie les toilettes au bas du cercle. Quand le concierge fait un mauvais travail, le président n'est pas content du tout. Et l'avantage du cercle, Monsieur, c'est qu'on peut le tourner ! » Le concierge monte au haut du cercle, et le président descend au bas ; ainsi, lorsque les toilettes sont sales, le type important, c'est le concierge, non le président.

En fait, les différents services de l'entreprise sont répartis autour du cercle ; aucun n'est plus ou moins important : ils forment le cercle qui, lui, fonctionne selon les circonstances. Les Japonais ont saisi que l'eau, l'air, les plantes, les animaux, les humains sont tous reliés sur terre, aucun n'ayant une suprématie sur l'autre. On est loin de notre conception de l'humain comme roi de l'Univers : il n'en est qu'un des éléments, et peut-être le plus dangereux. Plus on progresse, plus on se rend compte que le grand problème sur terre, c'est l'humain, qui tente toujours de tout gérer, et peut-être, en poursuivant sa quête de bonheur, de tout saccager.

Le cercle avait également un autre avantage, d'une importance capitale : il possédait un centre. Et qui était dans cette position privilégiée ? Qui d'autre que le client lui-même ? Qui d'autre que l'humain ?

Toujours chez Yamaha, j'ai eu l'agréable surprise de voir des plantes fleurir dans la fonderie où l'on coulait les bases des pianos. Comment était-ce possible ?

« Ce n'est pas là pour des raisons esthétiques, précisa mon guide. C'est là surtout pour des raisons vitales. Si jamais la plante venait à mourir, ce serait la preuve que l'air est dommageable aux ouvriers ! » Il est vrai cependant que cela rendait l'environnement certes beaucoup plus agréable.

De retour au Québec, j'ai vu sensiblement la même chose. Dans certains bureaux, j'ai vu des palmiers en plastique avec un petit singe empaillé agrippé aux branches. Cela faisait joli ! Je demandais alors aux employés s'ils avaient déjà pensé avoir de véritables plantes vertes.

« On a déjà eu de vraies plantes, m'expliqua alors un employé de bureau, mais l'air conditionné les faisait mourir. C'est trop froid et l'air n'est pas parfait.

– Et les secrétaires, alors ?

– Aucun problème : elles portent un chandail ! Ce sont des humaines... »

Je ne prétends pas faire des Japonais le modèle à imiter. Mais je vous encourage tous à méditer sur le cercle. Demandez-vous si vous pourriez améliorer votre situation en adoptant ce modèle.

Je vous encourage à observer l'illustration suivante.

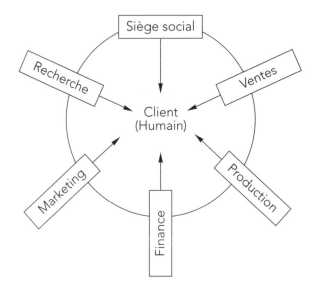

Peut-on, humainement, prôner un autre modèle ?

Big Brother

Nous sommes, depuis de nombreuses années, en pleine révolution informatique. Avec cette machine, on peut, paraît-il, tout organiser, tout rationaliser. On le prétend de plus en plus. Cette technologie serait soi-disant le remède universel à tous nos problèmes pour des années à venir. On vit de plus en plus avec un ordinateur dans sa poche.

Un esprit cynique pourrait ajouter : « Le remède universel à tous nos problèmes est dans ce cerveau artificiel fait de main d'homme. »

Il y a plus de trente-cinq ans, dans le *New Scientist* de Londres, un certain Richard Landers saluait le jour prochain où les ordinateurs seraient capables de converser. « Je crois fermement, écrivait-il, que le jour où nous aurons des machines à conversation, bien des gens les préféreront aux humains. » Trente-cinq ans plus tard, où en sommes-nous ?

On se cache derrière des écrans cathodiques pour éviter les face-à-face avec des personnes en chair et en os. On envoie un courriel au compagnon qui travaille de l'autre côté de la cloison.

Vous connaissez certainement ces réseaux d'ordinateurs qui relient un groupe de gens qui correspondent par ordinateurs interreliés sur toutes sortes de sujets plus ou moins personnels. Ils font du clavardage. Voici une histoire bien triste. On raconte qu'en Californie, un membre d'un de ces réseaux avait l'habitude de lire les messages reçus durant la nuit en prenant son café. Or, ce matin-là, il lut avec stupéfaction le message d'un cadre d'une grande entreprise qui, vers les trois heures du matin, à New York, avait confié au réseau son désarroi devant le suicide de sa fille de vingt-neuf ans. Pauvre homme ! Il n'avait pu confier son immense peine, son immense sentiment de culpabilité qu'à un clavier qui ne pouvait pleurer avec lui ! Quel monde où l'on ne peut se consoler qu'en tapant sur son ordinateur !

N'est-il pas curieux que, il y a plus de vingt-quatre ans, en 1982, la revue *Time* consacrait l'ordinateur « Homme de l'année » ? Après John F. Kennedy, Golda Meil, le pape et... mère Teresa ! Une machine ! C'est un merveilleux outil, mais c'est juste un outil. Un marteau, c'est aussi un merveilleux outil. Pourtant, on ne l'a jamais consacré l'« Homme de l'année » !

Deux ans plus tard, nous avions atteint le chiffre magique de 1984. Beaucoup de gens se sont alors demandé si la terrible prophétie imaginée en 1948 par l'écrivain George Orwell s'était vraiment réalisée. Son roman, *1984*, raconte en effet l'histoire d'un monde hyperrationnel dominé par une force invisible appelée Big Brother, un monde où tout ce qui était contraire à la logique du système était supprimé. On va même jusqu'à refaire l'histoire afin qu'elle soit plus conforme au système.

Sommes-nous rendus là ? Regardez autour de vous. L'ordinateur a pris de plus en plus de place dans notre vie. On est peut-être rendus à cette image de Big Brother. Car n'en venons-nous pas à considérer que ce que nous voyons sur les écrans cathodiques est plus vrai, plus réel que la réalité elle-même ?

Et tout cela est accroché sur le rationnel. Un ordinateur n'a qu'une tête, pas de cœur ! Jamais il n'exprime autre chose que des idées, jamais il ne manifeste d'émotions. Il ne se fâche jamais, ne pleure jamais, ne rit jamais.

En supposant que nous devenions tous des informaticiens, ne restera-t-il pas la grande question : Qu'allons-nous mettre dans nos ordinateurs et à quelles fins ? Si ce ne sont pas des humains, des extraterrestres peut-être ?

Je garde plutôt l'impression que l'ordinateur, envahissant à ce point nos vies, au lieu d'envoyer les psys au chômage, les mettra plus que jamais au travail !

Pourtant, beaucoup de gens craignent le jour où l'ordinateur les supplantera.

Mais, à l'origine de ce questionnement, n'avons-nous pas peur de l'être humain, peur de soi ?

Votre responsabilité d'humain face à la réalité

« Ça y est, direz-vous, Jean-Marc Chaput est un contestataire ! J'aurais dû me méfier avant d'acheter le livre. » Rassurez-vous. De toute ma vie je n'ai jamais posé de bombes ! C'est à peine si j'osais faire des graffitis dans les toilettes du collège. Si j'avais à poser une bombe, ce serait dans la tête des gens, et elle ne serait pas à retardement. Elle ferait exploser notre façon de voir la société et nous-mêmes comme membres de cette société.

Vous me direz peut-être alors que je suis un idéaliste, un rêveur.

Si vous voulez dire par là que je place les idées au-dessus de l'être humain, que je cherche à conformer les gens à ma pensée, je vous répondrai que les idéalistes ne sont pas ceux qu'on croit. À mon avis, ces derniers, au pire sens du mot, sont ceux qui vous font croire qu'une situation est malsaine parce que la réalité est ainsi faite et qu'elle l'exige ainsi. À partir de là, vous n'avez plus qu'à vous croiser les bras et à attendre le « bon vouloir » de la réalité.

Ne trouvez-vous pas cette conception fataliste ? déprimante ? Elle n'en est pas moins répandue.

Si vous avez eu affaire à un psychanalyste au cours de votre vie, il vous aura peut-être parlé du principe de réalité. Celui-ci nous ramène au temps de notre enfance. C'est le moment critique où chacun de nous aurait commencé à refouler ses désirs pour se soumettre aux exigences de la réalité. Nous aurions alors assimilé ce que Freud appelait le principe de réalité, qui est, en fait, un principe de soumission, soit se soumettre à la nature !

À l'époque où Freud commença à étudier le sujet, au début du siècle, les gens avaient d'ailleurs souvent le mot « soumission » à la bouche. C'était l'attitude courante face à la vie.

Mais était-ce la bonne ?

J'aime répéter aux gens qui assistent à mes conférences que la réalité est une chose objective. Elle n'est ni bonne ni mauvaise. Elle existe. Elle est là, c'est tout.

En revanche, l'humain est subjectif. Vous êtes subjectif.

Placé devant cette réalité, vous êtes libre de la regarder sous un angle favorable ou défavorable. Vous êtes libre de la regarder de façon pessimiste ou optimiste. Par exemple, si vous êtes malade, vous pouvez conclure : « Je vais aller de mal en pis » ou bien « Je vais aller mieux ». Si vous n'avez pas un sou dans vos poches, vous pouvez également conclure : « Je vais y laisser ma peau » ou bien « Je vais me débrouiller ».

Qui a raison ? Qui a tort ? Impossible de le savoir.

Ce qui compte vraiment, c'est que votre façon de voir déterminera votre façon d'agir, et que vous travaillerez à changer la réalité dans un sens ou dans l'autre.

Dans un sens plus humain ? Ou le contraire ? Tout est là.

Mais ce qui est absurde, à notre époque, c'est la prétention à vouloir l'objectivité à tout prix. Les gens qui cherchent l'objectivité commencent par raisonner de cette façon : « Je ne vais pas me fier à mes impressions, ni à mes sentiments. Je vais faire abstraction de ce que je veux personnellement. » Ce qu'ils font alors est bien simple : ils s'évertuent à chercher tout le contraire ! Ils voient les côtés de la réalité qui leur déplaisent, qui les angoissent. Et plus les choses leur semblent mauvaises, plus ils s'imaginent être objectifs et réalistes.

Ces gens ne sont pas réalistes, mais plutôt soumis face à la réalité.

Le vrai réalisme part de votre vision subjective de la vie et du monde. Être réaliste, c'est prendre vos responsabilités d'humain face à la réalité.

Vous est-il déjà arrivé, comme à beaucoup d'autres, de dénigrer une chose parce qu'elle vous paraissait subjective ?

L'appel humain d'une femme

Il y a plusieurs années, en juillet 1988 pour être précis, le gouvernement canadien menaçait d'expulser un jeune Malaisien en vertu de la loi sur l'immigration. Ce sont les faits, pour autant que je puisse les décrire *objectivement*.

Mais le jeune Malaisien avait fait quelques années auparavant la connaissance d'une Québécoise. De leur union était né un petit garçon. Sept mois plus tard, le Malaisien sortait en quête d'un travail, comme il l'avait toujours fait auparavant, en laissant une note à la jeune fille. De retour cette fin d'après-midi-là, il eut la surprise de trouver l'appartement vide. La fille avait décampé avec l'enfant. Il courut chez les parents. Personne. Tout le monde avait décampé.

Déboussolé, le jeune homme retourna chez lui pour attendre. Les semaines passèrent. Toujours pas de nouvelles. Comme il ne pouvait payer le logement seul, le propriétaire le mit bientôt à la porte. Comble de malheur, ce fut au tour du gouvernement de lui montrer la sortie !

« On n'a pas le choix, expliquèrent les responsables de l'immigration. Il n'y a plus personne pour te parrainer ; pour avoir un parrain, il faudrait que tu sois déjà à l'extérieur du pays. C'est la loi.

– Mais ne peut-on pas faire une exception ? » demandèrent les gens d'un organisme de charité.

Comme toujours, la réponse fut non.

Comme je l'ai déjà mentionné, cela se passait en 1988. Ne serait-il pas possible que la même situation se produise aujourd'hui ? La loi est rigide. Elle ne peut facilement se plier aux particularités de chacun. Il faut des lois et je suis d'accord. Il faut de l'ordre dans une société, faute de quoi, c'est l'anarchie. Mais de là à renvoyer un père ? N'y a-t-il pas une marge ? Oui, me direz-vous, mais si on fait cela dans ce cas précis, il va falloir le faire régulièrement. Et puis ? Si cela permet à un enfant d'avoir un père ! Est-ce plus important que la loi ?

Les gens avaient alors, à cette époque, montré leur indignation au lieu de se résigner.

« Si la loi ne prévoit rien pour ce jeune homme, répliqua une femme, alors elle est inacceptable et il faut l'amender. Le plus grave de toute cette histoire, c'est qu'on brime le droit d'un enfant à avoir un père. »

Cette femme était-elle soumise à la réalité ? À vous de répondre.

À partir de son intervention, le drame vécu par le jeune homme a subitement pris toute sa dimension humaine, sa dimension subjective.

Il était question de loi, me direz-vous, de règles obligatoires. Mais croyez-vous vraiment que l'opinion des gens de la société soit sans influence sur la façon dont les lois sont adoptées et même appliquées ?

Il est surprenant de constater que dans plusieurs situations de la vie, là où la loi n'entre même pas en ligne de compte, plusieurs d'entre nous ne reconnaissent pas la dimension humaine. Sous prétexte de discipline ! À l'image de ces employés de l'immigration d'alors, ils se cachent derrière des règles pour empêcher leurs sentiments de s'exprimer, pour couper le contact avec l'humain qui se trouve en face d'eux.

Vous êtes-vous récemment trouvé dans une situation où vous vous êtes senti *obligé* de rester insensible et froid face à un semblable ? De mettre une distance alors qu'aucune menace ne le justifiait, sauf le fait que vous aviez une excuse pour ne pas vous impliquer ?

Au-delà des étiquettes

Les étiquettes font partie de la vie sociale. Supprimez-les toutes et vous retrouverez 33 millions de Canadiens flambant nus.

Personnellement, les étiquettes m'amusent. Il y a plusieurs années, j'étais le « professeur Chaput » ; plus tard, je suis devenu le « directeur ». Puis, à la suite de circonstances que je vous raconterai plus tard, les choses ont commencé à devenir moins précises. Je suis devenu « Chaput, le conférencier ». Mais conférencier sur quoi ? Alors, les gens m'ont appelé « Chaput, le motivateur », un mot qui ne figure même pas dans le dictionnaire ! Ensuite, le « motivologue », ce qui était encore pire, et j'en passe !

C'est le côté amusant des étiquettes. Les enfants prennent un plaisir fou à ce jeu. Évidemment, les étiquettes ont aussi un côté sérieux ; si vous possédez un doctorat en oto-rhino-laryngologie, c'est déjà un signe que vous connaissez bien les oreilles et la gorge, et si vous êtes médaillé d'or en plongeon olympique, c'est que vous plongez sûrement mieux que moi.

Mais peut-on regarder les gens autour de soi comme une constellation d'étiquettes et ne s'en tenir qu'à cela pour les juger, les rejeter ou les accepter ?

Un jour, on a demandé à mon fils, qui importait des fromages de lait cru de France, à quelle université il avait étudié. Avait-il un diplôme universitaire pour importer de si bons fromages ? Il répondit alors, l'air très sérieux, qu'il avait un « bac en fromages » !

On me demanda un jour où j'avais obtenu mes diplômes de conférencier. Les gens ne semblaient pas comprendre que ce n'est pas le diplôme qui vous amène derrière un micro, mais la volonté de communiquer et aussi la capacité !

Lors de la remise de ma licence en Sciences commerciales, en 1954, à l'École des hautes études commerciales, notre directeur de l'époque, M. Esdras Minville, nous avait fait cette sage remarque : « Si, cinq ans après avoir obtenu votre diplôme universitaire, vous avez encore besoin de sortir votre parchemin pour prouver votre valeur, votre compétence, s'il vous faut ajouter des lettres au bout de votre nom, vous n'auriez pas dû passer à l'École. Car ici, on ne forme pas des diplômés, mais des hommes. »

Ce n'est pas le titre de docteur qui fait de vous un bon médecin, mais plutôt la volonté de prévenir ou de vaincre la maladie, de guérir un malade.

Ce n'est pas le titre de directeur qui fait de vous un bon administrateur, mais plutôt la volonté de prospérer, de toujours offrir un meilleur service, d'aider les employés à grandir.

Pourquoi avons-nous si peur de nous montrer sans tous ces titres, sous notre vrai jour ?

Le génie déshabillé

Edison, qui inventa l'ampoule, n'avait aucun diplôme d'ingénieur. Certains plaisantins prétendent d'ailleurs que s'il en avait été autrement et que ce génie avait fait ses classes, nous en serions encore aux bougies, sauf qu'elles seraient plus grosses ! Il n'aurait jamais osé sortir de la boîte et voir comment on pourrait s'éclairer avec autre chose qu'une flamme.

Henry Ford, qui bouleversa les méthodes de travail industrielles, ne mit jamais les pieds dans une école de gestion.

Et la génétique moderne doit son existence aux découvertes que fit un vieux moine nommé Mendel en plantant des petits pois dans le jardin du monastère.

Ingénieur ? Gestionnaire ? Généticien ?

Je ne crache pas sur les étiquettes. Mais elles ne disent pas tout, et loin de là, sur l'individu avec qui on communique et sur notre propre personne. Elles donnent une image réduite de l'humain, une image qui peut mentir.

Avez-vous acheté ce livre pour y retrouver les conseils d'un « motivateur » ou le témoignage d'un humain ?

L'esclavage des étiquettes

Les étiquettes peuvent devenir des armes dangereuses entre les mains de gens inconscients. Quand elles sont à votre avantage, elles peuvent vous amuser ou même vous encourager dans un sens ou dans l'autre. Mais quand elles sont à votre désavantage, elles risquent de compromettre votre intégrité.

La soumission aux étiquettes est un drame pour plusieurs de nos semblables. Et, à un moment ou l'autre de notre vie, nous y sommes tous confrontés de diverses façons. Comme membre de la société, il arrive souvent qu'on vous traite selon des critères qui n'engagent pas votre personne humaine.

Pour vous accorder un prêt, une maison de crédit fera enquête sur votre solvabilité, sur la valeur de votre revenu et sur quelques détails budgétaires, et se moquera éperdument du reste.

Pour vous accepter en médecine, l'université vous fera passer dans une sorte de grand « moule à statistiques » déterminant si oui ou non vos notes sont supérieures à la moyenne, en se moquant de savoir si vous avez un talent inné pour manier le bistouri ou un grand désir de soigner les gens.

Pour vous admettre dans tel ou tel programme de subvention, le gouvernement se souciera uniquement de savoir si vous êtes admissible selon les règles déjà fixées.

Je me souviens même de la réponse du directeur de l'admission de la faculté de médecine d'une université québécoise à un jeune aspirant qui voulait le rencontrer pour expliquer sa démarche, car il avait été refusé sur la base de ses résultats scolaires durant ses études secondaires. « Ne vous rendez surtout pas à mon bureau. Je ne vous recevrai pas. Pourquoi ? Parce que je veux garder mon objectivité. » Eh oui, son objectivité ! Comme s'il n'était pas un humain avec des tripes et comme si rencontrer les gens lui faisait perdre son objectivité. Cette rencontre aurait pu l'aider à prendre une meilleure décision. Il a refusé cet étudiant qui désirait s'inscrire en médecine. Cet aspirant médecin est aujourd'hui dermatologue, spécialisé en cancer de la peau. Notre directeur de l'admission doit être toujours aussi objectif et, dans les années à venir, sera probablement remplacé par un ordinateur de poche qui, lui, travaillera vingt-quatre heures sur vingt-quatre sans se fatiguer, toujours aussi objectivement, sans tenir compte de l'humain.

Et l'on pourrait allonger la liste de toutes les situations semblables où la personne humaine se trouve réduite à un ensemble de critères.

Mais le plus grave, c'est d'accepter ces réductions parfois arbitraires, de les accepter consciemment, au point de réduire la vision que l'on a de soi-même. On en arrive alors à ne plus se considérer comme une personne humaine. Comme une personne humaine avec toutes les possibilités que cela implique.

Teilhard de Chardin disait : « L'homme est poussé de l'ordinaire à l'extraordinaire. » Eh oui ! Mais comment le faire si on vous colle une étiquette continuellement ?

Je connais des gens extraordinaires qui ont fait l'inverse, qui se sont laissé pousser vers « l'ordinaire » à cause d'une simple étiquette.

Et nous-mêmes ? Regardons-nous agir. Cherchons-nous l'humain compétent, ou l'humain diplômé, étiqueté ?

K. C. Irving : à bas les étiquettes !

Chaque année, la revue *Fortune* dresse la liste des cent personnes les plus riches du monde. Des Canadiens s'y trouvent quelquefois. Une année, j'ai été frappé de constater que l'une des personnes les plus riches parmi les Canadiens, au sixième rang mondial, si ma mémoire est fidèle, cette année-là, était un gars du Nouveau-Brunswick. Il s'agissait de K. C. Irving.

La carrière de cet homme remonte loin. En 1928, K. C. Irving ouvrait une concession de la compagnie Ford à Bouctouche, un petit village de sa province, en plein territoire acadien. Il voulait y vendre des voitures neuves. Pourtant, le village ne comptait que quelques centaines de pêcheurs et leurs familles. De plus, il n'y avait même pas de station-service dans les environs. Les compagnies pétrolières ne voulaient pas en installer, « faute de marché suffisant ». Alors Irving décida de fonder sa propre compagnie pétrolière : Irving Oil. Et le marché, soi-disant *insuffisant*, prit bientôt une expansion surprenante.

Deux ans après la fondation de la Irving Oil, soit en 1930, la compagnie était des plus prospères. Voulant l'organiser encore mieux, K. C. Irving émit un règlement très strict à tous les membres de son personnel, directeurs, cadres, employés ou balayeurs : Interdiction formelle d'inscrire un titre sur sa carte de visite. Seuls devaient y apparaître le nom de la compagnie et celui de la personne.

Quand je lui ai demandé pourquoi ne pas permettre un titre sur les cartes professionnelles – selon moi, cela aiderait les gens à savoir à qui ils s'adressaient –, il me répondit : « On ne fait pas affaire avec des titres, chez nous, mais bien avec des humains. C'est ce que je veux que mes gens sachent pour la vie. » Il avait parfaitement raison !

Ne trouvez-vous pas plus stimulant d'entrer en contact avec un monsieur Tremblay, une dame Dupont ou une dame Smith, plutôt qu'avec des « Monsieur le directeur », « Maître Untel » ou « Madame le docteur » ?

Et vous-même ? Que dites-vous la première fois que vous rencontrez quelqu'un ? Parlez-vous de vos fonctions, de vos diplômes, de vos titres, ou préférez-vous qu'on vous reconnaisse comme humain à part entière ?

C'est ainsi qu'une compagnie ontarienne, à l'embauche d'un cadre ou d'un représentant, demande au nouvel employé quel titre il voudrait voir inscrit sur ses cartes de visite. Cependant, son choix est restreint : il doit choisir entre quelque cinquante titres apparaissant sur une feuille. Par exemple : Un humain à part entière, ou Directeur de la folie, ou encore Ingénieur du bonheur, etc. Cela semble fou ! Mais combien cette idée peut établir un climat de confiance dès la première rencontre ! Cette personne qui me présente sa carte est un humain à part entière. Wow !

Un jour, je demandai son nom à un jeune homme. Quelle ne fut pas ma surprise de l'entendre dire « plombier ». Mais ce n'est pas un nom, plombier, c'est un métier ! Combien de fois n'entend-on pas répondre à la question « Qui êtes-vous ? », « Je suis le frère de ... la sœur de ... la femme de ... » Vous n'avez pas de nom ? Pourquoi toujours être obligé de se référer aux autres, au titre, au métier pour se définir ? Pourquoi ne pourrions-nous pas être nous-mêmes ?

Lignes humaines *versus* lignes d'autorité

Durant la Seconde Guerre mondiale, Allemands et Anglais se disputaient la mise au point du radar. C'était à qui trouverait le premier la façon de mettre en pratique les découvertes scientifiques pour faire échec à l'aviation ennemie.

Du côté allemand, les lignes d'autorité étaient très fortes. Les messages circulaient de haut en bas, de l'officier supérieur jusqu'aux ouvriers, en passant par les ingénieurs.

Mais du côté anglais, la méthode préconisée ressemblait plutôt à une sorte d'anarchie : tous les gens impliqués parlaient entre eux autour d'une table ronde, sans se soucier des médailles, des uniformes ou des titres. Résultat : l'information circulait deux fois plus vite, les idées abondaient. Quelques mois plus tard, les Anglais inauguraient le premier radar, alors que les Allemands en étaient encore au stade de la paperasse !

D'ailleurs, le mot anglais *brainstorming* vient de ces expériences où on laisse libre cours aux idées, aux intuitions. On interdit même les critiques, les idées négatives, afin de laisser l'imagination errer à sa guise. Les résultats en sont très surprenants. Mais on hésite à laisser aller son ego, son pouvoir ! Depuis trente-six ans, je me promène dans les compagnies, les écoles, les universités, les hôpitaux, les gouvernements, et je vois des gens encore aux prises avec le vieux système. Les membres des conseils de direction planent au-dessus des employés et, plus souvent qu'autrement, les messages circulent du haut vers le bas !

Les titres, les fonctions, la position hiérarchique de chaque personne déterminent son droit de parole et le genre d'initiative qu'on lui accorde. C'est la bonne vieille méthode des lignes d'autorité, la bonne vieille pyramide. Cette méthode était en usage à l'époque des pharaons. Mais ne la trouvez-vous pas démodée et ridicule, alors que nous sommes censés vivre en plein siècle des communications ?

Pourquoi des lignes de communication ? Pourquoi pas des lignes humaines ?

Le bonheur, disions-nous au premier chapitre, se trouve dans la relation humaine. Le but avoué ou inconscient de chacun de nous est de vivre une relation humaine qui réponde à ses attentes, qui l'aide à trouver le bonheur.

Mais n'en va-t-il pas de même pour les compagnies et pour toute forme d'organisation où des humains sont nécessairement en relation les uns avec les autres ?

C'est tellement vrai que de plus en plus de gens aujourd'hui considèrent leurs compagnies comme des *networks*, des réseaux de relations humaines.

Si les Anglais ont trouvé le radar grâce à une relation ouverte, souple et humaine, pourquoi nos compagnies et nos organisations n'auraient-elles pas la même philosophie pour trouver la solution à leurs problèmes et pour aider leurs membres à trouver le bonheur ?

Pourquoi pas ?

Le moment de vérité de Scandinavian Airlines

Dans ce même esprit, la compagnie aérienne Scandinavian Airlines, qui a depuis fusionné avec la compagnie KLM, se livra un jour à un calcul étrange. Elle était préoccupée par son pauvre service à la clientèle. Elle fit alors cette découverte : elle servait plus de dix millions de clients chaque année. À cinq reprises en moyenne, chacun de ces clients transigeait avec l'un ou l'autre des employés de première ligne pendant 15 secondes, c'est-à-dire dix millions de clients multipliés par cinq occasions chacun pendant quinze secondes, soit plus de cinquante millions d'occasions. Des millions de fois, les clients et les employés échangeaient des paroles, des regards, des gestes. Et de ces cinquante millions de fois, qu'on le veuille ou non, sortaient des communications toutes différentes les unes des autres. C'était l'aspect personnel, l'aspect humain !

Le président de Scandinavian Airlines a donné un nom à ces occasions : il les a appelées des « moments de vérité ». Il y avait cinquante millions de moments où l'entreprise devait prouver aux clients qu'elle prenait soin d'eux : ces moments feraient soit le succès de l'entreprise, soit sa déconfiture.

Devant ces faits, je connais beaucoup de patrons qui deviendraient blêmes de frayeur : « Mais c'est l'anarchie ! On va perdre le contrôle si on les laisse aller à leur guise. Il faut imposer des consignes, réglementer, standardiser, établir des protocoles. »

Mais la Scandinavian Airlines a raisonné autrement. Pour elle, ces millions de contacts personnels avec les clients représentaient autant de « moments de vérité » pour la compagnie.

Les directrices, les directeurs et le personnel cadre se sont alors regardés en disant : « Qu'est-ce qu'on fait ici à remuer de la paperasse ? C'est là-bas, dans les avions et dans les aéroports, que tout se passe. Il faut aider les employés au lieu de leur mettre des bâtons dans les roues. »

À partir de ce moment, la hiérarchie démodée a été supprimée. Sur les murs de la compagnie, un nouvel organigramme a remplacé l'ancien :

C'est une pyramide inversée ! Le client au sommet ! Les employés de première ligne au milieu et, tout à fait en bas, la direction et les cadres, qu'on a simplement désignés par le mot

« autres ». Ces derniers sont au service de ceux qui sont en haut de la pyramide.

C'est le monde à l'envers, me direz-vous ?

En réalité, on a ouvert les bras aux clients. On a accepté d'engager une relation véritable, de s'ouvrir à leur influence. Et dans cette philosophie, il était naturel que l'employé de ligne occupe la position privilégiée au sein de la compagnie, puisque la relation se fait par son entremise. C'est là que sont les moments de vérité !

C'est ainsi que cette compagnie fut la première à spécifier quel agencement intérieur de la cabine des passagers elle désirait obtenir. Jusque-là, les ingénieurs aériens avaient des spécifications très détaillées sur la configuration des cabines de pilotage avec toute la sophistication de l'instrumentation. Mais pour les voyageurs, on se fiait au fabricant des avions. Scandinavian Airlines, elle, avait pour ses clients des exigences très poussées, par exemple la grandeur et, surtout, la hauteur des garde-robes à l'entrée de l'appareil. Pourquoi ? Afin de ne pas froisser les vêtements dans les sacs à habits. Elle a exigé des espaces de cuisine plus perfectionnés afin de servir de meilleurs cafés, afin de s'assurer que les boissons réfrigérées soient bien froides et non tièdes. Elle a spécifié le type de fauteuil requis, le tissu, etc. C'était une première ! Depuis, toutes les compagnies aériennes ont suivi. Le client est devenu une préoccupation pour elles. Il est à espérer que ce mouvement ne soit pas renversé avec la hausse vertigineuse des frais d'exploitation qui force les compagnies à rogner sur la qualité des moments de vérité.

Combien avez-vous de moments de vérité dans votre entreprise ? dans votre bureau d'Emploi Québec ? dans votre CLSC ? dans votre CPE ? etc.

Non ! On hésite encore à laisser jouer l'influence des humains, qu'ils soient employés ou clients, parce qu'on craint que cette influence aille dans le mauvais sens. Mais l'influence des humains ne compromet pas l'existence d'une compagnie. Au contraire, elle en renforce la raison d'être !

L'exemple de la Scandinavian Airlines est, au fond, celui d'une démarche de respect humain. Une démarche de respect humain telle qu'on pourrait la faire à tous les niveaux de la société. C'est un témoignage d'amour !

« Dessine-moi une bicyclette... »

Il y a quelques années, un fabricant de bicyclettes de la Beauce a tenté une expérience auprès d'un groupe d'enfants. Il leur a offert des hot dogs et des boissons gazeuses au restaurant du coin et, pendant qu'ils se régalaient, il leur a demandé de lui décrire la bicyclette de leurs rêves. Assis près de lui, un dessinateur faisait des croquis.

« Moi, a dit un garçon, j'aimerais une bicyclette avec un siège très long, mais très mince. Cela me permettrait d'aller plus vite[15] !

– Mais comment vas-tu t'asseoir sur un siège pareil ? répliqua l'homme.

– C'est pas un problème, répondit le garçon. Je ne m'assois jamais ! »

Pendant ce temps, chez CCM, des spécialistes étudiaient toutes les façons possibles de rendre leurs sièges plus confortables et mieux adaptés à l'anatomie des jeunes enfants.

Mais le garçon ne s'assoit jamais ! À quoi bon ?

---

15. C'est la bicyclette au siège banane, en vogue dans les années 70 et 80.

Pourquoi pas un siège très long, un siège farfelu, quitte à défier les règles de l'anatomie ?

Les gens diront : « Ce n'est pas bon pour le derrière des enfants. » Mais les garçons trouveront toujours le moyen d'user leurs fonds de culotte, faites-leur confiance ! Dans ces conditions, pourquoi ne pas les écouter ? Pourquoi ne pas tendre l'oreille à leurs désirs dans une démarche de respect ?

Et nous ? Faisons-nous cette démarche de respect au travail ? dans la vie sociale ? dans nos relations humaines en général ? et encore plus à la maison ?

Laboratoires Abbott : à bas la castration !

Aujourd'hui, la santé est l'une de nos grandes préoccupations. Mais, de nos jours, les gens ne craignent pas seulement la maladie. Ils appréhendent aussi le séjour à l'hôpital. Ils ont peur d'être manipulés, de devenir des objets entre les mains du corps médical.

Ils craignent également, et par-dessus tout, de subir des mutilations inutiles et contre leur gré. Permettez-moi de vous citer un exemple qui, malgré qu'il soit un peu osé, n'en illustre pas moins le besoin de toujours savoir ce que le client désire et non tous les intervenants autour.

C'est le cas sans doute de ces malades atteints du cancer de la prostate. Il n'y a pas si longtemps, la médecine ne connaissait qu'un seul remède assez brutal à cette maladie : la castration.

Puis, un beau jour, une compagnie pharmaceutique, les Laboratoires Abbott, découvrit un médicament capable de soigner le cancer sans chirurgie. Donc, plus besoin de castrer.

« Eurêka ! ont-ils crié aux chirurgiens. Nous avons la solution. Vous n'aurez plus à castrer vos patients.

Mais les chirurgiens ont réagi froidement à cette découverte.

– Un petit moment, ont-ils répondu. Ce n'est pas prouvé… Et d'ailleurs, qu'est-ce que ça peut bien faire qu'on castre ou non ? Les gens qui ont le cancer de la prostate sont des personnes âgées. Et leurs testicules ne leur servent plus à rien. Alors ? »

Les gens d'Abbott n'en croyaient pas leurs oreilles ! Cette réponse froide et cynique les déconcerta. Selon eux, supprimer la castration aurait dû représenter un bond en avant. Après tout, même si on n'a plus la jeunesse de ses vingt ans, personne n'apprécie les mutilations. Et encore moins celle-là.

« Mais, après tout, les chirurgiens n'ont rien à voir là-dedans, ont-ils réalisé tout à coup. Ce ne sont pas eux, nos clients. »

Ils décidèrent alors de descendre plus bas, le plus bas possible, pour intercepter le client avant que le système médical le prenne en charge, avant même qu'il mette les pieds à l'hôpital. Ce qui les conduisit tout droit dans les cabinets des médecins de famille.

La réponse ne se fit pas attendre. Informés du produit par leur médecin de famille, les prostatiques se montrèrent emballés.

Aujourd'hui, ce produit est d'usage courant en Amérique du Nord. Mais que serait-il arrivé si Abbott avait suivi en mouton l'avis des chirurgiens et du système médical au grand complet ?

Rien. Il ne serait rien arrivé. On aurait continué de castrer les gens souffrant du cancer de la prostate.

Mais les gens d'Abbott ont compris une chose capitale et très simple : si vous avez quelque chose à proposer, c'est le principal intéressé qu'il faut voir, pas les autres. L'être humain vous en apprendra davantage sur ses besoins que n'importe quel spécialiste.

Ce que cette entreprise en a retiré, c'est de se mettre dans la peau du client, d'abord dans la peau de l'autre. La seule démarche, c'est d'aller voir le client, lui demander ce qu'il pense, ce qu'il ressent : lui seul est maître à bord. Pourtant, pendant des années, on a produit des choses d'abord, puis cherché à les vendre par la suite, au lieu de procéder à l'inverse : demander d'abord ce que le client veut et fabriquer par la suite.

Le système le plus parfait ne vous dira jamais mieux que l'être humain lui-même ce qui est bon pour lui, ce qui est bon pour vous. Il peut proposer des solutions à vos problèmes, des façons de vous comporter face à certaines situations, mais votre plus belle source de connaissance se trouve dans la relation humaine.

Elle est subjective, comme le dégoût de la castration.

Elle est à votre image, une image d'émotions, de sentiments, d'opinions et de désirs : une image humaine !

Une dose de confiance humaine

Les bureaucrates et les spécialistes qui s'occupent de monter des systèmes invoquent souvent un argument discutable pour rejeter des idées comme celles de ce chapitre : l'argument de la responsabilité. « Si l'être humain était foncièrement responsable, disent-ils, le monde serait parfait. On n'aurait pas besoin de leur imposer des systèmes, on pourrait même se passer de lois. »

Mais c'est l'éternelle question de la poule avant l'œuf ou de l'œuf avant la poule : oblige-t-on les humains à se conformer à un système parce qu'ils sont irresponsables, ou n'est-ce pas le système lui-même qui, par ses abus, finit par nous enlever le sens de toute responsabilité ? On pourrait philosopher longtemps sur cette question !

En réalité, le système dans lequel nous vivons au Canada ne peut être qualifié de dictatorial. Il accorde à l'individu toute la liberté nécessaire pour s'épanouir. Et si l'individu ne la prend pas, c'est peut-être parce qu'il l'a remise entre les mains du système, du gouvernement, de l'école, de l'hôpital, etc. Il attend qu'on vienne le chercher, qu'on s'occupe de lui, lui disant quoi faire. Le gouvernement canadien dépense des fortunes colossales chaque année dans la prise en charge des citoyens. On réclame un emploi, comme si au gouvernement on créait des emplois. Ce sont les entreprises qui les créent.

Ainsi, un résident de Sherbrooke de quarante-neuf ans, M. Jean Chenay, écrivait dans le journal *Le Devoir* du 7 juin 2006 qu'il était sans emploi depuis plus de sept ans. Il y parle de ces emplois créés par des programmes gouvernementaux. Voici ce qu'il en pense, et je crois qu'il a parfaitement raison : « On vous offrira aussi de participer à des programmes d'emploi rémunérés au salaire minimum et d'une durée de six mois. J'ai participé à quatre de ces projets. Ils ont pour vocation première de fournir du personnel temporaire à des organismes communautaires. À la fin de ces expériences de travail, vous vous retrouverez Gros-Jean comme devant, frustré et déçu d'être revenu à la case départ. À Emploi Québec, on appelle sans rire ce genre de projet de la création d'emploi. » N'est-ce pas là la preuve qu'un gouvernement ne crée pas d'emplois ?

Si vous êtes comme moi un contribuable, vous n'avez pas besoin d'un long exposé de la situation : votre déclaration de revenus suffira pour vous convaincre à quel point nous sommes devenus une société de gens dépendants. Pas qu'il soit mauvais de dépendre les uns des autres, mais il faut aussi apprendre à s'en sortir soi-même.

Cependant, la trop grande insistance sur une social-démocratie pousse les citoyens à devenir de plus en plus irresponsables. Mais le sont-ils foncièrement ?

J'ai toujours été surpris de voir comment l'animal était, de façon innée, responsable ! D'ailleurs, n'est-ce pas la seule chose qu'il peut et doit laisser à ses petits ? Car en mourant, c'est ce sens des responsabilités qui permettra à la race de survivre.

Peut-être Raymond Lévesque, le chansonnier, avait-il raison quand il disait que le Créateur avait doté l'homme d'un cerveau mais avait oublié de lui en donner aussi le mode d'emploi. Voyez le petit moineau donner un cours de « vol » à un autre petit moineau ; le cégep est très court : tout cela se fait en une leçon. Et hop ! en bas du nid ! On n'a jamais vu un moineau tirer un autre moineau. La mère ne lui explique même pas ce qu'est un chat. Quand il en verra un, il se sauvera bien.

« Et toi, le père, que fais-tu avec ton grand gars de vingt-huit ans à la maison ?

– Ah ! Il n'est pas encore prêt.

– Pourtant, fais comme l'oiseau. As-tu déjà vu un oiseau passer trois ans dans un nid ? »

Je me souviens d'avoir rencontré un jeune homme de trente-quatre ans à l'Université de Montréal ! Il avait étudié dans quatre facultés et en cherchait une cinquième pour parfaire son éducation. Un gars comme lui va passer directement de la bourse d'études au fonds de pension. Il aura oublié de s'envoler.

Et c'est la même chose pour une vache qui explique à son veau que le temps de la « tétée » est terminé. Jamais elle ne le dit à l'aide d'un fax ou par courriel. Non ! C'est, comme on dit dans le jargon des affaires, du « *One on One Communication* ». Chaque fois que le veau touche au pis, il reçoit un coup de patte ; il y revient, un autre coup de patte. Après une quinzaine de tentatives, il apprend vite qu'il doit brouter l'herbe s'il ne veut pas se faire tuer. Et savez-vous ce que cela produit chaque fois ? Un veau qui devient vache !

Pourtant, quand il s'agit de l'humain, de l'animal humain, n'y a-t-il pas, enfoui quelque part, au fond de lui-même, un sens des responsabilités ?

Je vais vous raconter un fait surprenant à ce sujet, une expérience tentée, encore une fois, par les Laboratoires Abbott.

Depuis longtemps, dans les hôpitaux, les malades devaient sonner l'infirmière pour recevoir une dose de sédatif. Et celle-ci devait s'en remettre au jugement du médecin pour contrôler les doses quotidiennes. Il n'y avait pas pire juge que le malade, croyait-on. Il n'était pas assez responsable. Si on le laissait décider lui-même de ses doses de calmants, il serait bien capable d'en faire une surconsommation, de devenir un accro !

Mais les gens d'Abbott ont dit : « Pourquoi ne pas essayer et voir comment le patient prendrait ses responsabilités vis-à-vis de ces sédatifs censés le soulager de ses douleurs ? »

Ils ont alors inventé un procédé audacieux permettant aux malades alités de s'injecter eux-mêmes leur sédatif par intraveineuse. Quelques hôpitaux acceptèrent d'en faire l'essai, non sans crainte. On avait peur que les patients se mettent à abuser et que toute l'aventure se termine par une orgie de sédatifs.

Mais c'est tout le contraire qui arriva.

On s'aperçut avec stupeur qu'une fois devenus responsables de leur dose, les malades prenaient trois fois moins de sédatifs qu'auparavant.

Cet exemple peut vous sembler anodin. Pour moi, c'est une révolution. Une révolution qui devrait nous porter à revoir nos opinions sur l'être humain.

Ce qui a manqué, ces dernières années, ce qui a le plus cruellement manqué à notre société, c'est un sentiment de confiance à l'égard de l'être humain.

On jongle encore avec l'œuf et la poule : les humains sont-ils responsables ou irresponsables ? Voilà une question sans réponse. Vous pouvez répondre oui ou non, et vous aurez raison dans les deux cas. C'est une incertitude ! C'est irrationnel !

La responsabilité humaine est avant tout un sentiment ! Si vous la regardez d'un point de vue froid et rationnel, vous serez fatalement poussé à la rejeter. Vous auriez dit non à l'expérience d'Abbott pour ne pas courir de risques. Les malades vont-ils prendre leurs responsabilités ou vont-ils abuser des sédatifs ? Comme vous n'obéissez qu'au raisonnement, vous auriez choisi la solution la moins risquée, celle de l'irresponsabilité.

Mais, aux Laboratoires Abbott, on a choisi l'audace. On a choisi la voie du respect humain, la voie de la confiance. Le résultat a dépassé toutes les espérances et fait basculer tous les préjugés.

Pouvez-vous imaginer le visage que prendrait notre société si cette attitude face à l'humain était au moins aussi répandue que l'attitude contraire ?

Et nous-mêmes ? L'avons-nous adoptée ? Pourquoi ne pas le faire maintenant ?

Une famille moderne

Les sociologues ont l'habitude de dire que la société est à l'image de la famille, ou vice versa.

Il y a plusieurs années, André et Madeleine Frappier écrivaient un petit livre dont le titre, *Une famille libre*, trahissait une certaine fièvre hippie des années 1960. On y fait le compte rendu simple et touchant d'une expérience qui rappelle un peu celle d'Abbott par l'audace et le sentiment de confiance qu'elle reflète.

Un beau jour, M. et Mme Frappier ont décidé de rompre avec certaines conceptions familiales et de considérer leurs enfants comme des partenaires égaux. Jusqu'ici, rien d'extraordinaire. Beaucoup de parents essaient d'en faire autant !

Mais toute leur histoire tournait autour... de l'argent. Et la première chose qu'ils ont réalisée, c'est que l'argent peut facilement devenir un objet de pouvoir pour celui qui le possède, et un objet de soumission pour celui qui doit le réclamer.

Après avoir remboursé l'hypothèque sur la maison et payé divers comptes, ils décidèrent donc de partager leur argent chaque mois en parts égales entre eux-mêmes et leurs deux petits garçons ; chacun pouvait en disposer comme bon lui semblerait pour manger, se vêtir et se divertir.

Imaginez le petit garçon faisant irruption dans la plus proche confiserie avec son billet de cent dollars ! « C'est fou, me direz-vous. La confiance, c'est beau, mais il y a des limites. »

Je ne cite pas les Frappier en modèle. Je ne dis pas que vous devriez adopter immédiatement cette façon de faire. Si vous avez une famille à élever ou si vous songez à en fonder une, le mieux à faire est encore de suivre votre intuition, de laisser parler votre cœur.

Mais les résultats qu'ils ont obtenus portent à réfléchir. Vingt ans plus tard, les deux garçons étaient diplômés d'université. Ils avaient acquis un étonnant sens des responsabilités et une complète autonomie.

Le plus frappant dans cette histoire, c'est que beaucoup de gens aujourd'hui prétendent que la disparition de la famille traditionnelle, avec le père autoritaire et la mère nourricière, est à l'origine de tous nos problèmes sociaux. Avant, selon eux, le monde n'était pas parfait, mais il respectait l'ordre, alors qu'aujourd'hui, tout va de travers.

Que dire alors de la famille Frappier, qui est loin d'être traditionnelle ? Est-ce un fiasco pour notre société ? Cette famille a simplement fait la preuve que l'être humain est rempli de solutions, de créativité, et qu'il possède une souplesse qui lui permet de se redéfinir.

On peut tout redéfinir ; tout est susceptible de changer, et pour le mieux, tant cette petite « société » familiale que la grande société dont nous sommes les membres.

Le grand philosophe grec Épicure s'irritait d'ailleurs chaque fois qu'on prétendait que l'homme était *parfait*.

« Il n'est pas parfait, répondait-il, il est perfectible. »

Ce qui veut dire que nous devons, comme le dit le vieux dicton, cent fois sur le métier remettre notre ouvrage. Mais, pour cela encore, il faut avoir l'audace de le faire.

Appelez-moi « Bernie »

La lecture de ce chapitre vous a peut-être étourdi ? Tant de possibilités ! Tant de possibilités ! Nous aurions pu continuer indéfiniment sur cette lancée. Dès qu'on parle de l'humain, les possibilités s'enchaînent les unes aux autres !

Pour employer une formule qui peut paraître prétentieuse, je dirais que la possibilité de tout faire ou presque est le propre de l'humain. Et c'est encore plus vrai à notre époque de progrès et de haute technologie. Le malheur de notre époque, c'est que certains finissent par ne plus voir la solution de rechange et par adopter une image réduite de l'être humain. Dans les cas les plus graves, ces gens en arrivent à oublier qu'ils sont eux-mêmes des humains à part entière. Ils essaient de s'en faire une idée rationnelle, alors que l'humain est d'abord sentiment, émotion. Je ne parle pas ici de sentiment d'appartenance à une race ou à un groupe, ce qui pourrait s'expliquer peut-être, je parle d'un sentiment irrationnel, un sentiment inexplicable, un sentiment qui s'exprime !

En un mot, c'est une recherche du bonheur à l'image de cette révolution qui changea du jour au lendemain la vie d'un homme comme le docteur « Bernie » Seagal.

Rien de très spectaculaire d'ailleurs. George Seagal avait simplement choisi un beau jour de ne pas revêtir son sarrau de spécialiste et de travailler avec ses vêtements de ville.

« Appelez-moi Bernie ! avait-il lancé à sa secrétaire et aux patients étonnés. Bernie, c'est comme cela qu'on m'appelait quand j'étais petit ! »

À ses patients atteints de cancer, il déclara :

« Ça ne sera pas facile, mais on va se battre ensemble. On va s'occuper ensemble de cette maladie. Si vous avez des suggestions, je suis là pour les écouter. Si vous pensez que ça pourrait vous aider de marcher sur la paume des mains, la tête à l'envers, je suis prêt à le faire avec vous ! »

Il a même été jusqu'à raser complètement ses cheveux, comme on le fait maintenant à l'occasion de la campagne de financement pour la recherche sur le cancer. À cette époque, c'était tout à fait nouveau pour un professionnel de la santé de se raser la tête. Il ne pouvait pas se montrer avec sa chevelure épaisse devant des malades perdant leurs cheveux à cause de traitements de chimiothérapie. Il voulait se mettre dans la peau du patient, et cela, le plus complètement possible.

En voyant Bernie agir ainsi, on avait l'impression qu'il cherchait à refléter exactement l'image contraire de sa profession. Le ton était léger, mais Bernie ne plaisantait pas. Il était au fond frustré par ces étiquettes et par tout ce qui déshumanise les rapports entre les gens.

Revenir à la richesse des sentiments, revenir à un monde plus humain, c'est le but qu'il exprimait et c'est celui que les gens, de plus en plus nombreux, commencent à exprimer, heureusement !

Revenir à l'humain, c'est au fond revenir à soi. C'est revenir à soi comme être humain à part entière. Une folle décision !

Et cela, revenir à soi, on peut le réaliser dans le domaine des affaires. En prenant des risques, il est vrai, et des risques qui peuvent s'avérer coûteux pour l'entreprise.

* * *

Voici une histoire extraordinaire d'une folle décision qui entraîna quasiment la perte de l'organisation. Il s'agit d'un manufacturier de textile qui a osé croire en l'humain par-dessus tout et à son désir de s'en sortir. Il a fait confiance à ses employés comme un homme fait confiance à un autre homme. Le 11 décembre 1995, Malden Mills, une usine de textile du Massachusetts qui employait alors quelque 2400 employés, et cela dans une petite ville peu développée, Methuen, passait complètement au feu. L'usine fut détruite à plus de 90 %. Le propriétaire, M. Aaron Feuerstein, fêtait ce soir-là ses soixante-dix ans.

Son grand-père avait commencé la construction de cette usine en 1907, et malgré le départ de toute l'industrie pour le sud à la fin des années 1940, le moulin était demeuré, seul, dans sa petite ville d'origine. L'usine avait d'ailleurs subi la débâcle, une faillite à cette époque, mais une découverte fantastique d'une nouvelle fibre faite à base de bouteilles de plastique recyclé, le polartec, ou le syncilla, relança l'entreprise qui, au moment du sinistre, donnait à ses employés 12,50 $ de l'heure, salaire très élevé à cette époque. Inutile de dire que M. Feuerstein était découragé. Mais les mots d'encouragement de ses amis et de ses fournisseurs sont venus lui remonter le moral. Trois jours après l'incendie, il annonçait à plus de 1000 de ses employés réunis à l'école qu'il continuerait à payer les salaires de tous, ce qui représentait alors 1,5 million par semaine. Une folle décision ! Il leur dit qu'on recommencerait au plus tôt la reconstruction de l'usine.

Le 2 janvier 1996, l'entreprise avait déjà repris ses activités dans une usine toute neuve avec quinze nouvelles machines, elles aussi toutes neuves. Aucun bureau de direction n'aurait autorisé une telle dépense, à savoir le paiement de salaires durant la reconstruction. À la suite de cette folle décision, l'entreprise n'a pu éviter de se placer sous la protection de la loi des faillites. Les dettes énormes l'avaient étouffée. Les créanciers ont repris la compagnie, mais M. Aaron Feuerstein est toujours là, avec son grand cœur qui ne saurait lâcher prise. Il continue de protéger les 1500 emplois qui restent. Il n'a pas de chauffeur, d'avion privé, ne vit pas en Floride. Malgré ses quatre-vingts ans, il travaille tous les jours à tenter de prouver que l'on peut vivre selon son cœur même en affaires, avec tout ce que cela comporte de difficultés[16].

---

16. Magazine *Time*, 8 janvier 1996.

Chapitre 5
Revenir à soi-même

Le coup de pied qui m'a fait réagir !

Longtemps avant de parcourir l'Amérique du Nord pour y donner des conférences, j'étais ce qu'on peut appeler un homme d'affaires. En fait, j'ai essayé beaucoup de choses au cours de ma vie et on risquerait de s'y perdre en cherchant une étiquette précise. Je préfère encore m'en tenir à l'étiquette de Jean-Marc Chaput, un être humain à part entière comme vous.

Mais toujours est-il qu'à cette époque je rêvais de mon premier million.

Et pour raconter une histoire qui vous fera sans doute sourire, j'ai finalement atteint ce rêve à trente-sept ans grâce à... l'informatique. La compagnie que j'avais fondée s'occupait de mettre sur ordinateur les paies des compagnies pour rationaliser, eh oui, rationaliser, la distribution des salaires. Moi, Jean-Marc Chaput l'irrationnel !

Mais rassurez-vous : je n'ai jamais cru qu'on pouvait rationaliser à la fois les chèques de paie et les employés qui les encaissent, comme certains essaient de le faire aujourd'hui.

D'ailleurs, je n'ai pas suivi la vague informatique jusque-là. Un jour, j'ai voulu ouvrir un bureau du côté de Toronto. J'y ai rencontré un groupe avec qui je décidai de fusionner ma compagnie. Par la suite, l'entreprise fut inscrite à la Bourse de Toronto ; je possédais alors plus de 10 % des actions émises par l'entreprise.

La vente de cette compagnie a rapporté beaucoup. Du jour au lendemain, les zéros se sont alignés à mon bilan personnel. C'était la première fois de ma vie que je touchais de près la richesse !

Avec une épouse et cinq bouches à nourrir, cette fortune était comme un cadeau du ciel. J'avais atteint ce que la plupart des gens appellent la réussite, c'est-à-dire que je possédais la grosse maison, la grosse voiture, le gros train de vie et une certaine illusion de sécurité.

Mais faites confiance à la vie, si vous entretenez ce genre d'illusion, elle se chargera tôt ou tard de la détruire. En réalité, j'ai un peu perdu le souvenir de cette fortune éphémère. Je me rappelle surtout la catastrophe qui allait suivre...

Pour poursuivre, disons que j'avais investi un gros montant d'argent dans une nouvelle compagnie. Dans un geste large, j'avais ouvert mes coffres à des gens dont la compétence ne pouvait être mise en doute, en leur disant : « C'est votre responsabilité, faites-en ce que vous voudrez. »

Régulièrement, je devais faire des avances à cette nouvelle entreprise. J'allais même jusqu'à emprunter pour pouvoir financer le tout. Mais les choses allaient de mal en pis !

Quand le monde s'écroule sous vos pieds !

À mon retour d'un voyage à l'étranger, j'ai finalement retrouvé tous ces gens au bord de la catastrophe. Le bateau coulait. Quand j'ai enfin sauté à bord pour reprendre le gouvernail, il était trop tard. J'avais compris alors une des grandes leçons de la vie : si tu veux que les choses soient bien faites, fais-les toi-même d'abord.

En un seul jour, j'ai vu que toute ma belle fortune avait fondu comme neige au soleil. Il ne restait dans le bureau que les dossiers. Tout le mobilier avait été saisi et déménagé durant la nuit.

Mes enfants étaient déroutés. J'étais découragé, c'est le moins qu'on puisse dire. Partout autour de moi, les gens m'ont sorti le même refrain : déclare faillite !

La dette était énorme. Je savais qu'il me faudrait des années pour en venir à bout. En apposant ma signature sur une déclaration de faillite, je pouvais me libérer en une fraction de seconde. Mais j'ai refusé.

On a tout fait pour m'en convaincre. Peine perdue ! Les gens de mon entourage ont dû penser : « Il est fou ! » Mais le sentiment de ma responsabilité était en jeu.

Je n'aurais pu me regarder dans un miroir et me dire que j'avais bien fait les choses en déclarant faillite. On peut penser à la faillite, mais de là pour moi à déclarer forfait, je ne pouvais m'y résigner, exactement comme le vieux propriétaire de Malden Mills. À tort peut-être, qui pourra le dire ? Je ne voudrais surtout pas blâmer ceux qui ont fait faillite dans leur vie. Je sympathise avec eux.

Et le huissier passa nous signifier la saisie de la maison familiale, ce qui fait très mal ! D'autres huissiers sont venus chez nous pour numéroter la moindre petite babiole, à quatre pattes sur le tapis pour ne pas en oublier.

On aurait dit que la Troisième Guerre mondiale venait d'éclater, à regarder le contenu de notre garde-manger. Quand le temps est venu d'envoyer nos enfants en colonie de vacances, nous avons dû faire appel aux fonds de l'assistance sociale pour payer les frais.

Pire encore, le gérant de la Caisse populaire ne voulait plus rien savoir de moi. Et perdre l'amour de son gérant, c'est la chose la plus dramatique qui puisse arriver, n'est-ce pas? Celui-là me refusa un ridicule prêt de 500 $, même si l'un de mes amis m'endossait.

« Pourquoi vous? s'est-il contenté de répondre en pointant mon ami qui était venu m'endosser. Pourquoi ne pas lui donner vous-même l'argent? Vous êtes à faire un don, le réalisez-vous? »

En rentrant chez moi, le soir, j'évitais soigneusement la porte du sous-sol pour ne pas me retrouver en face des caisses de paperasses que j'avais rapportées des bureaux et dans lesquelles je pensais découvrir un jour les vraies raisons de la catastrophe.

Mais, pour l'instant, je faisais surtout des efforts surhumains pour ne plus y penser et me dessiner un nouvel avenir.

Qu'auriez-vous fait à ma place?

Le marginal se réveille

Je me souviens du mardi qui avait suivi la tempête. Les enfants étaient partis à l'école et je ruminais mes idées noires dans la cuisine, en robe de chambre, buvant mon éternel café, quand ma femme passa devant moi.

« Alors, maman... qu'est-ce qu'on fait maintenant?

— C'est bien simple, me dit-elle. On recommence.

— Comment ça, on recommence ? On n'a plus rien à vendre. Ils ont tout saisi, même le banc du piano.

— Non, papa. Il y a une chose qu'ils ont oubliée de saisir...

Mon premier réflexe a été de regarder autour de moi. Alors, ma femme s'est approchée et m'a fixé droit dans les yeux.

— Réfléchis, papa.

— Je ne vois pas.

— C'est ton cœur, papa. Ton jugement, ton intuition, ton enthousiasme. Ce sont des choses qu'ils ne pourront jamais saisir et c'est avec ça qu'on va recommencer. »

Ce qui s'est produit dans l'instant qui a suivi est encore un mystère pour moi. La remarque de ma femme m'avait fouetté comme une douche froide.

Tout était là ! Voilà le résumé, en quelques mots, de tout ce que vous avez lu jusqu'ici. Le cœur, l'intuition, l'enthousiasme sont à la base de vos actes, à la base de votre réussite.

Réussir, s'affirmer, n'est-ce pas d'abord un sentiment ?

On aurait dit que je me réveillais d'un long cauchemar.

La réalité était là, objective, et j'étais là en face d'elle, subjectif, acculé au pied du mur, forcé de faire un choix : me morfondre sur mon sort ou prendre la responsabilité d'agir.

Dans le temps de le dire, j'étais rivé à mon téléphone et je faisais résonner une offre que les directeurs de compagnie ne pouvaient refuser.

« Allô ! J'ai quelque chose de fan-tas-ti-que pour vous ! Il faut absolument qu'on se rencontre ! Ça presse !... »

Le lendemain, je me retrouvais dans un bureau, prêt à décharger mon enthousiasme sur le directeur qui m'avait reçu.

« Vous savez, la chose excitante mentionnée hier au téléphone, eh bien, c'est moi ! Je vais chercher avec vos gens à découvrir la culture, l'identité de votre compagnie. On découvrira pourquoi ça fonctionne et comment éviter de perdre cette recette magique. Et on va mettre tout ça ensemble pour enseigner cette recette du succès à tous les gens de l'entreprise. »

Au bout d'une demi-heure, le directeur était pendu à mes lèvres, des étoiles dans les yeux. Mais c'est alors qu'il m'a posé la grande question :

« Combien ?

J'étais le premier stupéfait de m'apercevoir que je n'en savais rien. J'avais prévu la question, mais en m'efforçant de ne pas trop y penser. J'y suis finalement allé d'une réponse maladroite :

– Combien paies-tu d'habitude pour ce genre de travail ? »

La pire chose à répondre !

Voyez-vous, je n'avais pas de liste de prix où était indiqué que cela ne se vendait qu'en format de douze, et qu'on ne brisait jamais les boîtes.

Mais le marché a été conclu malgré tout. Quelque temps après, je louais une salle pour pouvoir causer avec les employés. De fil en aiguille, ma réputation s'est étendue aux autres compagnies, mon message a eu une portée plus générale, mon public s'est élargi du même coup. Et je suis devenu le conférencier irrationnel et marginal que les gens connaissent.

La dette a été épongée comme dans les contes de fées.

J'ai appris à ne plus craindre la question « Combien ? ». Si bien que les gens m'appellent parfois pour s'informer de mes tarifs et sont tout surpris de se buter à un mur de briques.

« À ce prix-là, disent-ils, aussi bien inviter un ministre... On l'aurait pour trois fois rien ! »

Je les laisse inviter leur ministre à leur guise, mais je ne déroge pas de mon prix. Ne suis-je pas, après tout, le mieux placé pour décider de ma propre valeur ? Il faut apprendre à mettre un prix sur le service que l'on rend.

Cependant, cela ne doit pas, sous prétexte de discipline, tuer l'idée d'aider les autres. Je ne dirai pas que j'ai toujours adhéré à une stricte liste de prix. J'ai fait des remises substantielles, mais toujours en sachant que le prix de mes services était réduit pour aider une œuvre humanitaire, une région en proie à de graves problèmes de chômage, une industrie victime de restructuration majeure.

Le marginal qui sommeille en vous !

Ce que je viens de vous raconter est l'histoire du coup de pied qui m'a poussé à remettre ma vie en question, à revoir mes valeurs, à m'interroger sur ma conception des choses et sur moi-même. Mais surtout à changer complètement mon orientation !

Dans chaque crise sommeillent des solutions, des possibilités. Ce que j'ai compris de plus important dans cette période noire de ma vie, c'est que le sentiment de pouvoir changer, le sentiment de puissance (sans se prendre pour un autre) passe d'abord par une redécouverte de vous-même.

La façon dont je suis sorti de ma crise peut ressembler à un coup de folie, à un coup du cœur. En réalité, c'est le sentiment irrationnel de l'homme que je suis et de celui que je peux devenir.

Sans me demander comment, mais surtout l'œil rivé sur le pourquoi : ce que je cherchais !

Et quand ce sentiment est ressenti intensément, il demande naturellement à s'exprimer !

Or, comment l'exprimer si on cherche au contraire à le refouler, à se refouler soi-même, en somme, en ne misant pas sur ce qu'on a d'unique, d'irremplaçable ? C'est la grande question de ce chapitre. À vous d'y répondre.

L'écrivain André Gide concluait un de ses ouvrages par ce conseil merveilleux :

« Jette mon livre, écrivait-il ; dis-toi bien que ce n'est là qu'une des mille postures possibles en face de la vie. Cherche la tienne. Ce qu'un autre aurait fait aussi bien que toi, ne le fais pas. Ce qu'un autre aurait dit aussi bien que toi, ne le dis pas. Aussi bien écrit que toi, ne l'écris pas. Ne t'attache en toi qu'à ce que tu sens qui n'est nulle part ailleurs qu'en toi-même, et crée de toi, impatiemment ou patiemment, le plus irremplaçable des êtres. »

Ne voyez-vous pas dans ce passage splendide la définition même de la marginalité ?

Vous me direz peut-être, à l'exemple de beaucoup de gens : « C'est un bel idéal. Mais le monde dans lequel on vit ne s'oppose-t-il pas à cet idéal ? Les marginaux ne sont-ils pas rejetés de la société ? »

Au début, la société a tendance à rejeter ceux qui ne se conforment pas à ses règles de conduite, à ses coutumes. Mais rapidement elle admire ceux qui ont choisi de se définir comme marginaux quand cette marginalité a comme base le bonheur humain.

C'est bien plutôt la peur du rejet qui amène souvent les gens à devenir conformistes, à mettre la responsabilité de leur devenir entre les mains des autres, à refouler ce qu'ils sont vraiment à travers la vie sociale et même... la vie privée. Ils suivent la foule.

Et c'est encore cette peur du rejet qui, en devenant trop intense, finit par renverser la vapeur et transformer certaines personnes en marginaux dangereux. La peur se change alors en révolte et la société répond automatiquement par le rejet.

Ne trouvez-vous pas ce phénomène absurde?

Avez-vous déjà connu ce genre de cercle vicieux? Voulez-vous encore tomber dans le piège?

La vérité, c'est que vous êtes libre de vous définir. Vous êtes libre de choisir, en tant qu'être humain, entre ces deux solutions: mener une vie qui reflète ce que vous avez de meilleur en vous ou, au contraire, mener une vie dont vous n'êtes pas vraiment responsable.

Vous pourriez poser la question crûment: se perdre ou se retrouver? Entre ces deux possibilités, laquelle choisissez-vous?

N'y aurait-il pas un meilleur endroit pour se définir que dans les messages publicitaires? Pourtant, regardez les publicités à la télévision ou dans les journaux et vous constaterez combien elles sont stéréotypées. C'est la peur! C'est d'ailleurs ce que dénonçait avec violence Jean-Claude Lord dans un article d'*Infopresse* de janvier 1992 sous le titre «Les Pissous». Il y dénonçait la peur castratrice, prédominante en publicité. «Tout le monde la nourrit, l'entretient, la chouchoute.» N'est-ce pas encore vrai aujourd'hui, en 2006?

Et cette peur, elle n'est pas seulement omniprésente dans les messages publicitaires, les conformant à des normes qui semblent toujours inviolables jusqu'au jour où un marginal apparaît. Un publiciste incroyable, Jacques Bouchard, décédé le 29 mai 2006, avait saisi le besoin pour les Québécois de devenir de plus en plus eux-mêmes. Il était de la trempe des bâtisseurs. Il avait une vision toute personnelle de la publicité et était convaincu que les Québécois pouvaient mais surtout devaient prendre leur place au petit écran et dans toutes les autres formes de publicité. Il a su nous le raconter dans son fameux livre, *Les trente-six cordes sensibles des Québécois*. Il y décrivait notre unicité, c'est-à-dire notre marginalité par rapport au reste des Canadiens. Qu'on se souvienne d'un Olivier Guimond vantant les mérites de celui qui connaît ça.

M. Hervé Sériex, président d'Euréquip France, rappelait aux participants de l'Association des professionnels en ressources humaines du Québec qu'il faut un virage dans les systèmes de gestion modernes. Il s'impose de nos jours une réhabilitation de la personne dans l'entreprise, des systèmes de gestion souples, valorisants, ouverts.

André Gareau, consultant, lançait ce cri aux « superperformants ». « Prenez le temps de vivre, sinon vous allez péter ! » Dans le journal *Les Affaires* du 17 novembre 1990, il disait : « Aussi longtemps qu'on ne remplacera pas tous nos organes par du téflon et que l'on ne remplacera pas nos neurones et notre cerveau par des circuits électroniques, on aura toujours besoin de tendresse, de passion et de fierté personnelle. » En fait, on aura toujours besoin d'être traité comme un humain unique, avec du cœur !

Voilà la vraie question : se perdre ou se retrouver ? Devenir le marginal qui peut à l'occasion déranger, ou le conformiste qui obéit sans oser se poser de vraies questions.

Vous voulez rencontrer un marginal qui, lui, a choisi de se retrouver et l'a fait durant toute une vie ? M. René Dumont, celui que l'on surnommait l'« agronome de la faim ». En fait, il fut à la fois agronome et démographe, mais surtout un homme de terrain. Il consacra une bonne partie de sa vie à parcourir les pays en voie de développement, à dénoncer la surpopulation et les pratiques économiques du Nord. Avant beaucoup d'autres, il expliqua que nous sommes tous acculés à revoir entièrement notre conception du monde, nos manières de penser, d'agir.

En 1974, il avait d'ailleurs publié un livre au titre prémonitoire : *L'utopie ou la mort !*[17] dont il dira plus tard : « Ce n'est pas l'utopie ou la mort, mais le réalisme ou la mort [...] Il faut dessiller les yeux de ceux qui ne veulent pas voir. » Il a su toute sa vie dénoncer les erreurs commises par l'Occident, de plus en plus imbu de lui-même, aux dépens des autres sur la planète et même au détriment de la planète elle-même. C'est lui qui a osé dire aux Africains qu'il était plus urgent d'apprendre à labourer que d'apprendre le théâtre de Racine. C'est lui qui a osé dire aux institutions de France et du monde que l'école sans travail, c'est l'intelligence mutilée. C'est lui qui a osé dire aux gens d'affaires partout que le gaspillage est le principe fondamental et indispensable de l'économie de profit, que le capitalisme conditionne au gaspillage, et que le gaspillage crée la misère. Enfin, il a osé crier à notre univers luxueux que pendant que les petits meurent en silence, les gros ne cessent de se gaver et souffrent d'embonpoint.

Il a fallu qu'il soit capable de vaincre sa peur pour oser dire ce qu'il ressentait au plus profond de lui-même.

Et que dire, plus près de nous, de Laure Waridel, cofondatrice et présidente d'Équiterre, qui ose dire qu'*Acheter, c'est voter*[18]. Elle y dénonce cette primauté du droit au profit des grandes compagnies de ce monde. Elle rapporte même les réponses de jeunes habitant des pays producteurs de café à cette question : « Qu'est-ce que vous aimeriez dire aux gens qui habitent au Canada et aux États-Unis ? » Voici quelques réponses :

– Qu'ils laissent vivre les paysans en paix.

---

17. Paris, Seuil, 1974.
18. Titre de son livre publié en 2005 aux Éditions Écosociété, Montréal.

– J'aimerais leur dire que malgré le fait que nous travaillions tout le temps, nous sommes pauvres.

– Que les grandes compagnies cessent d'exploiter les pays pauvres.

Et il y a de nombreuses autres réponses, chacune criant à l'injustice, chacune dans le fond dénonçant le fait que la tasse de café que nous payons chez nous environ 2 $ ne rapporte à celui qui a trimé dur des journées durant pour produire ce café que 3 sous! Est-ce que Mme Waridel n'a pas raison de dénoncer un tel état des choses? Elle est une marginale qui, lorsqu'elle a commencé à parler de justice pour ces producteurs exploités, passait pour un hurluberlu. Et même récemment, des journalistes lui ont dit que toute son organisation d'Équiterre n'était qu'une goutte d'eau qui ne changeait strictement rien au rouleau compresseur du capitalisme sauvage. Ces critiques ont oublié que ce sont les fous comme Laure Waridel qui, parce qu'ils osent penser qu'ils peuvent changer le monde, sont ceux qui le changent!

La clef de la motivation

Les gens me considèrent depuis des années comme un « motivateur ». On fait appel à mes services pour motiver des auditoires découragés ou, du moins, anxieux au sujet de tout.

Mais, en réalité, je ne suis pas là pour motiver qui que ce soit. Je serais d'ailleurs incapable de le faire. On ne peut faire boire un âne qui n'a pas soif. Tout ce qu'il fait, ce sont des bulles dans la chaudière Il faut lui donner d'abord la soif! Il appartient aux gens de se motiver eux-mêmes, de se développer une soif, un appétit de vouloir aller plus loin, de se dépasser.

Ceux qui ont écouté attentivement mes conférences ont dû s'apercevoir, par contre, que je parlais souvent en termes d'images. Mon but est d'amener les gens à prendre conscience de l'image qu'ils ont d'eux-mêmes. C'est cette image qui bâtit la confiance en soi.

Ce n'est pas de la psychothérapie révolutionnaire, mais simplement une affaire de gros bon sens. La clef de la motivation repose sur cette image que vous avez de vous-même. C'est une vérité de La Palice. Toutefois, les conclusions que certains en tirent sont souvent contradictoires, voire farfelues.

Sur la base de ce principe, des charlatans font miroiter la lune à qui veut bien les écouter ou veut bien lire leurs soi-disant guides pratiques faits de recettes plus ou moins valables. « Vous êtes ce que vous pensez être, leur disent-ils. Imaginez-vous dans la peau d'un milliardaire et vous le deviendrez ! Imaginez-vous dans la peau d'une star et vous atteindrez votre but ! » Mais nous serions tous millionnaires ou vedettes s'il ne suffisait que de se le dire. Il y aurait des milliers de Céline Dion si toutes les chanteuses se voyaient en tête d'affiche.

C'est de l'exploitation pure et simple et, bien que ce jeu puisse à la rigueur nous amuser, il comporte des dangers. La motivation qu'il engendre ne dure qu'un temps. Après quoi, elle retombe à plat et cède la place à un sentiment de frustration néfaste qui nous gâche la vie.

La question n'est pas de viser haut ni de viser bas, mais surtout de viser juste, d'être franc envers soi-même et d'exploiter au maximum ses forces. Car c'est, au fond, bien plus difficile que cela paraît de changer. Pourquoi ? À cause en grande partie d'un seul réflexe bien ancré en nous : celui de toujours considérer la franchise envers nous-mêmes en fonction de nos défauts, mais jamais en fonction de nos qualités. Être franc, réaliste, c'est réaliser ce qu'on ne peut pas faire, oubliant cependant ce qu'on peut faire.

Seriez-vous capable, à l'instant même, de noter dix de vos défauts ? Si oui, bravo !

Seriez-vous capable, maintenant, d'écrire dix de vos qualités ?

Dans des séminaires de développement personnel auxquels je participe, la plupart des gens bloquent à la troisième qualité. Quant aux deux premières, beaucoup la copient sur la feuille de leur voisin en écrivant « honnête » ou encore « travailleur » !

La pire chose qu'on puisse leur demander, c'est d'être franc envers eux-mêmes, de se regarder tels qu'ils sont dans un esprit de franchise. Et aussitôt, ils prennent cela comme un appel à l'autopersécution !

Être franc envers soi-même, dans l'esprit de beaucoup, équivaut à s'abaisser, à se dénigrer, voire à confesser ses fautes. La franchise pour eux comprend une large part d'autoflagellation.

Ce n'est pas de la franchise, c'est du masochisme. Et cela en dit déjà long sur l'image qu'on se fait de soi-même... Elle est nécessairement fausse.

On ne peut avoir que des défauts. C'est notre attitude qui fausse l'idée que l'on se fait de soi.

Revenez aux dix défauts que vous avez écrits, et relisez-les avec du recul : quelle attitude reflètent-ils ?

Attitudes *versus* aptitudes

Les psychologues feraient un immense bien à ceux qui viennent les visiter en quête d'un soutien, et les orienteurs d'école feraient des merveilles avec les enfants s'ils parvenaient vraiment à leur faire comprendre une différence essentielle : celle entre les attitudes et les aptitudes.

Oui, on peut se faire de soi l'image qu'on désire, aussi farfelue qu'elle puisse sembler.

Oui, on peut adopter vis-à-vis de soi-même toutes les attitudes possibles, allant du mépris jusqu'au respect.

Non, on ne peut pas en faire autant avec nos aptitudes. Elles représentent le bagage de capacités que vous possédez. Vous pouvez les perfectionner, les faire s'épanouir, les exprimer de différentes manières, mais vous ne pouvez pas les changer, ni les forcer au-delà de leurs propres limites. Vous aurez beau vous dire et vous redire que vous deviendrez un jour un très grand pianiste, si vous avez les doigts trop courts et une déficience auditive trop aiguë, vous courez tout droit vers une déception.

Le même sort vous attendra, par exemple, si vous persistez à vous voir danseuse étoile de grands ballets, alors que votre coordination motrice est trop mauvaise.

Qu'on le veuille ou non, on a les aptitudes que l'on a, et il suffit de les développer.

Mais encore faut-il avoir une bonne idée, une bonne intuition de ce qu'elles sont.

À quoi pensez-vous quand il s'agit de votre propre personne ? Quel sentiment éprouvez-vous face à vous-même ?

C'est là que les attitudes peuvent devenir votre pire ennemi, ou le coup de pouce qui sera à même de vous faire vous épanouir.

La philosophie

On a souvent ignoré la philosophie qui permet de penser de façon critique, celle qui permet de juger si les différents éléments invoqués lors d'une discussion sont véritables, appuyés sur des preuves tangibles, voire irréfutables, ou s'ils ne sont pas en fait que des expressions d'opinions, de rumeurs, de préjudices. Cette discipline nous fait découvrir les faux arguments, percer les sous-entendus, saisir les points tenus pour acquis mais rarement exprimés. Comme le disait un jour M. Frank Cunningham, de l'université de Toronto : « La philosophie s'adresse aux idées qui sous-tendent les débats et qui enseignent à penser. » Peu d'écoles, de cours s'intéressent à développer des classes de philosophie.

En sachant penser de façon critique, chacun de nous pourrait alors s'analyser efficacement, distinguant entre les talents, les aptitudes et les préjugés, les attitudes. Chacun pourrait alors découvrir combien il est grand.

« Moi » incorporé

Les gens ne se rendent généralement pas compte des incroyables possibilités qu'ils ont en tant qu'êtres humains.

Quelle attitude peut adopter un animal dans sa vie d'animal ? Manger, boire, dormir, s'accoupler représentent grosso modo l'attirail de possibilités que la nature lui offre. Les animaux sont tellement limités à cet égard qu'on peut même se demander s'il est permis de parler d'« attitudes », alors qu'il s'agit surtout de « contraintes ».

En revanche, tous les scientistes de la terre tentent de percer ce mystère : comment l'humain a-t-il fait pour élargir quasiment à l'infini son champ de possibilités ? Le monde humain en est un de choix. Placé devant la contrainte, l'être humain a plusieurs choix : ou bien il l'accepte, ou bien il bloque, ou bien il entreprend de la surmonter. Placé devant la réalité en général, il a encore le choix de réagir en pessimiste ou en optimiste.

À la différence de l'animal, l'être humain est en réflexion constante face à lui-même s'il le veut. Sa vie n'est pas définie à l'avance. C'est à lui de la définir, à lui de choisir l'attitude qui lui permettra de s'épanouir ou, inversement, de se complaire dans une attitude de perdant.

Pour employer une image, je dirais que nous sommes semblables à des entreprises. Nous sommes vis-à-vis de nous-mêmes des bailleurs de fonds et nous avons besoin d'être convaincus de faire une bonne affaire pour y investir non pas de l'argent, mais de l'énergie.

Voudriez-vous investir dans une entreprise dont la devise serait : « Je suis né pour un petit pain » ou « Je ne vaux rien », « Je suis trop âgé », « Je n'ai pas de chance », « Je ne suis pas responsable de ceci ou de cela », « Ce n'est pas de ma faute », « On est comme on est », ou encore « Je ne sais jamais ce que je veux » ?

On demanda à un ancien joueur de hockey de raconter sa nouvelle carrière comme employé d'un grand hôtel, un secteur d'activité somme toute assez passionnant mais nouveau pour lui, à tout la moins. Il se bornait à répéter : « Vous savez, je n'ai pas à me plaindre ici. Je suis bien traité. Les gens sont corrects avec moi... », et ainsi de suite. Donnez la parole à n'importe qui et vous entendrez exactement la même chose. Il n'y a rien dans ses répliques qui a trait à sa personnalité, à la façon dont il exploite ses talents dans le milieu hôtelier.

Voyez les gens dans un ascenseur. Aux États-Unis, j'ai souvent remarqué que les gens entassés, en se regardant de près, se parlaient : « *Hi ! Nice day today ! They say it is going to be sunny all day !* » On parle ! Au Québec, entassés comme des sardines, personne ne dit un mot. On surveille les numéros sur le tableau indicateur de peur de manquer le 7ᵉ étage. Pourtant, il n'y a aucun danger de le rater : un ascenseur ne va pas de travers. Serait-ce la crainte de s'affirmer ? Si on manque le 7ᵉ en montant, on le retrouvera toujours en redescendant.

Et encore une fois, la même question se pose : voudriez-vous investir dans cette attitude ?

Les bons perdants

À mon avis, la pire attitude à adopter, c'est de considérer l'humain comme un être faible avec des possibilités limitées et qui doit vivre dans une grande soumission. Et le pire, c'est de se considérer de ce nombre.

Mais la soumission à qui ? la soumission à quoi ?

Personnellement, j'écris toujours le mot agressivité avec deux « G » : aggressivité, pour faire plus aggressif ! Pas dans le sens d'agressif vis-à-vis d'autrui, mais agressif vis-à-vis de soi.

Il y a quelques années, une compagnie de yogourts avait lancé une campagne publicitaire que je trouvais intelligente et pleine d'humour. Des petits enfants se faisaient voler leur yogourt par un personnage invisible à l'écran et lui montraient le poing en disant : « Rends-le-moi, sinon tu vas y goûter ! » Quel slogan plein d'affirmation et, en même temps, un bon jeu de mots !

N'était-ce pas la meilleure attitude à adopter dans les circonstances ? À supposer qu'on vous prend votre voiture au coin de la rue, n'auriez-vous pas envie de réagir en montrant le poing ?

Mais ce fut bientôt au tour des parents de montrer le poing à la compagnie. On était indigné par le côté agressif de cette publicité, on craignait des « conséquences malheureuses sur la mentalité des enfants ». On leur enseignait la violence ! Il fallait bannir cette publicité.

On aurait voulu au contraire que l'enfant regarde le petit voleur et dise : « Tu le veux, mon yogourt ? Prends-le. On ne va pas se bagarrer pour un yogourt. D'ailleurs, je ne l'aime pas aux fraises. » Combien on a peur de prendre sa place au soleil ! Non pas la place de l'autre, mais la sienne propre !

Durant plus de vingt ans, j'ai répété à qui voulait l'entendre qu'il faut éviter de trop insister sur la politesse. Il y aussi la réalité qu'il faut pouvoir affirmer avec force et respect. On est souvent tellement poli que lorsque quelqu'un nous pile sur un pied, on dit : « Toutes mes excuses ! J'avais mon pied en dessous du tien ! » On semble incapable de rétorquer : « Attention ! Tu m'écrases le pied ! Ici, c'est ma place ! Il faudrait que tu fasses la tienne ailleurs ! »

Un joueur de football célèbre aux États-Unis, M. Fran Tarkenton, disait : « Montre-moi quelqu'un qui perd avec un sourire et je te montrerai quelqu'un qui perd régulièrement. » Et dire qu'on a enseigné à nos jeunes à perdre avec un sourire, à être de bons perdants.

À l'opposé de l'exemple des yogourts, on a vu apparaître il y a quelques années sur nos écrans une publicité débilitante qui a dû plaire à ces mêmes parents ! Elle a d'ailleurs eu pour effet de me faire monter le sang à la tête.

Un petit garçon revient tout penaud à la maison. Il vient de perdre un match de hockey. La déception est terrible. Sa mère est désolée. Elle le regarde d'un air apitoyé et le réconforte : « Ce n'est pas grave, lui dit-elle, l'important c'est que tu as fait de ton mieux. » Et comme pour étayer ses propos, elle lui tend une bonne tasse de chocolat chaud. « Bois ton chocolat chaud », dit-elle. Un sourire imbécile illumine le visage du garçon et le voilà qui savoure le chocolat pour se consoler.

Croyez-vous que ce genre de message d'apitoiement soit de nature à faire s'épanouir nos enfants, à leur donner envie de s'affirmer, de s'engager dans la vie ?

Et nous-mêmes ? On ne sauvera pas l'Univers à coups de chocolats chauds.

On ne réglera pas les problèmes du monde, du Tiers-Monde à coups de chocolats chauds, c'est-à-dire à coups de subventions, de prêts sans intérêt non remboursables. Comme l'a si bien fait remarquer ce marginal dont on parlait précédemment, M. René Dumont : « S'il y a encore une chance pour que les trois quarts du monde s'en sortent avant qu'ils engloutissent le reste de l'humanité, c'est dans l'investissement humain qu'elle réside, pas dans les devises d'exportation ou le miracle des échanges commerciaux... Bref, s'il y a un pouvoir à rétablir, c'est celui de l'homme sur ses propres besoins. » Bien dit !

Et si, dans un pays comme le nôtre, on continue à distribuer « les chocolats chauds », cela ne fera pas des enfants forts, capables de prendre leur vie en main. Car seuls les obstacles, et même les obstacles les plus ardus, non les chocolats chauds, donnent le goût de vivre. La facilité n'a jamais rien créé de vraiment valable.

Une image fidèle de soi-même... et de la vie !

Il ne faudra pas oublier que se faire une image fidèle de soi-même, c'est aussi se faire une image fidèle de la vie. Dans la vie, il n'y a pas de chocolat chaud, et j'en sais quelque chose.

La « philosophie du chocolat chaud » est encore une illusion de sécurité. Perdre, tomber bas, connaître une faillite personnelle, commerciale ou autre, voilà autant de choses que l'on ressent avec douleur.

Mais pourquoi ressentons-nous cette douleur intime sinon justement parce que la situation nous déplaît et qu'une voix au fond de nous est en train de nous dire : « Fonce ! Réagis ! »

Calmer la douleur, l'arroser d'une bonne tasse de chocolat chaud, c'est faire en sorte d'étouffer cette voix !

Le vrai, le parfait « chocolat chaud » n'existe pas. C'est un piège.

Les lions et les gazelles

Les animaux en savent quelque chose : ils ne connaissent pas les chocolats chauds. Lors d'un voyage au Kenya dont j'ai précédemment parlé, je me souviens d'avoir vu des gazelles, des troupeaux de trois cents à quatre cents. Et Dieu sait si une gazelle court vite, 100 km/h, paraît-il, et même un peu plus quand un lion est à ses trousses. On dit que celui-ci n'attrape que deux gazelles sur dix essais : une faible moyenne au bâton de 200 %. Pourquoi ? Parce que cet animal fait quelque chose que le lion ne peut prévoir : en courant à toute vitesse, à l'approche du lion, elle saute de trois à quatre pieds de hauteur tout en tournant à quatre-vingt-dix degrés : c'est là qu'elle trompe le lion à tout coup ! Lui ne s'attend pas à ce saut de côté et poursuit sa course pour s'arrêter plus loin et se demander : « Mais où est-elle ? » Et celle-ci est beaucoup plus loin, à droite ou à gauche.

J'ai déjà vu un lion courir pendant quelques minutes puis revenir à son point de départ, trempé comme s'il était passé sous la douche, mais sans gazelle. Il n'avait pas de chocolat chaud non plus ! Il n'avait qu'une chose en tête : chercher une autre gazelle ! Jamais un lion, au lieu d'aller chasser une nouvelle gazelle, ne téléphona au gouvernement, en disant :

– Vous devriez nous fournir des petites gazelles qui n'ont pas peur. Et encore mieux, les grosses, vous devriez les attacher. Parce que si cela continue, vous, les gens du gouvernement, serez responsable de la disparition des lions dans la forêt africaine.

– Mais on ne peut faire cela. Il n'y a pas de programme approprié, lui répond le fonctionnaire.

– Mais vous pourriez au moins nous envoyer des gars en camion pour les attraper à notre place.

– On va faire une étude à ce sujet.

Découragé, le lion téléphone à son assureur :

— Vous n'avez pas une clause de refoulement de gazelles ?

— Il faudra prendre une assurance-gazelles, lui répond l'assureur.

— Ça va être long ? C'est que je commence à avoir très faim ! »

Le temps passe. Le gouvernement fait des études. L'assureur a vendu ses assurances au lion, mais toujours pas de gazelle !

C'est une tragicomédie absurde, c'est certain. Mais combien elle reflète exactement l'attitude d'une majorité de gens face à la vie !

N'avons-nous pas réagi de la même façon — et ici, je ne voudrais blesser personne — dans le cas de la compagnie Gaspésia, à Chandler ? Des millions ont été gaspillés parce qu'on s'est fié à une organisation boiteuse pour mener à bien le chantier, alors que les gens du milieu avaient toutes les compétences pour réussir ce projet. Ou dans le cas du moulin à Port-Alfred, ou encore de l'usine de Lebel-sur-Quevillon… On cherche trop souvent la solution à l'extérieur de soi, oubliant de se poser la question : « Comment moi, puis-je m'en sortir ? » Il ne faut surtout pas attendre que l'usine ferme pour se décider ! Se perfectionner, apprendre un autre métier, ou du moins pousser encore plus loin ses connaissances dans son domaine ! Pourquoi ne pas entreprendre de terminer son secondaire, ou de poursuivre ses études au cégep ?

J'ai en tête l'exemple de mon père qui était machiniste aux usines Angus, à Montréal. Il y réparait et entretenait les grosses locomotives à vapeur, refaisant les pièces qui étaient usées ou brisées. Cependant, mon père se rendait bien compte que la compagnie Canadian Pacific n'achetait plus de ces locomotives. Elle investissait plutôt dans de gros mastodontes qui fonctionnaient au diesel. Il suivit alors des cours par correspondance, pour apprendre comment fonctionnaient ces nouveaux engins, et cela même si aucun n'était encore en réparation à l'usine. Je l'ai vu pendant des mois et, si ma mémoire est bonne, des années penché sur ses livres à faire ses devoirs et les envoyer aux États-Unis pour y être corrigés. Puis, un beau jour, il a reçu son diplôme : il était attesté comme professionnel qui savait comme réparer ces nouvelles machines. Arriva un jour ce qui devait arriver : les vieilles locomotives à vapeur disparurent ; mon père était un des rares à avoir acquis les connaissances pour entretenir les nouvelles locomotives. Il devint l'expert et ainsi put monter dans la hiérarchie de l'usine. Mais de nombreux ouvriers furent remerciés. On n'avait plus besoin de ferblantier pour réparer les bouilloires des anciennes machines. On n'avait plus besoin de briquetier pour refaire l'intérieur des fournaises qui servaient à chauffer l'eau, etc. Mon père, lui, avait compris qu'il était le seul responsable de son avenir !

Quand un besoin se fait sentir, il est de notre responsabilité de le satisfaire ou, du moins, de se préparer en conséquence. Et cela, quitte à faire un effort, à lutter, à agir avec énergie.

Et c'est ce sens vital de l'action, ce sens profond de la responsabilité que l'attitude du « chocolat chaud » risque de compromettre.

L'agressivité ou, si vous préférez, l'affirmation de soi dans la vie mesure le respect et l'amour que vous avez à l'égard de vous-même et de ceux dont vous êtes responsable.

Personnellement, je préfère le café au chocolat. Je préfère m' « énerver » face à la vie plutôt que de vivre sous anesthésie.

Que diriez-vous d'une bonne tasse de café ultra-fort ?

S'enthousiasmer pour soi-même

C'est fou comme, avec le temps, le vrai sens des mots finit par se perdre. Par exemple, quand on parle d'enthousiasme, beaucoup de gens se figurent aussitôt une sorte d'excitation innocente ou, pire encore, une expression de joie puérile.

On laisse cela aux enfants.

De leur côté, les adultes s'efforcent de garder la tête froide. Plus on avance en âge et plus le scepticisme, la réserve, l'attitude mitigée semblent bien vus.

En 1978, alors que je donnais ma première conférence « Réussir au Québec, pourquoi pas ? » à la Place des Arts de Montréal, un inspecteur de la Ville de Montréal avait tenté de me faire payer la défunte taxe d'amusement de 10 % sous prétexte que, selon lui, je n'avais pas le droit d'appeler cela une conférence car les gens riaient plus de vingt fois. C'était, selon eux, un numéro de *stand up comic* !

Un conférencier, par définition, devait rester sérieux. Il devait ennuyer les gens, les endormir avec des phrases monotones. Si j'avais le malheur de me montrer trop enthousiaste, je devenais taxable !

Combien de fois ai-je entendu des amis me dire : « Il ne faut pas trop s'enthousiasmer, sinon on risque d'être déçu » ?

C'est un véritable cliché aujourd'hui. Avec le résultat qu'on finit par ne plus s'enthousiasmer pour rien ni pour personne. Alors où est la vie ?

On préfère plutôt demeurer soi-disant réaliste, mais on semble ignorer que le réalisme consiste à voir la réalité telle qu'elle est et non seulement sous ses mauvais aspects.

Nous avons négligé l'importance de l'enthousiasme au profit d'une vision rationnelle des choses. Nous attendons de voir surgir des raisons valables de nous enthousiasmer, alors que ces raisons, c'est à nous de les susciter.

Cette attitude des gens d'aujourd'hui me rend perplexe et me fait un peu sourire quand je songe au sens que nos ancêtres donnaient à ce mot, qui voulait dire tout simplement : avoir Dieu en soi.

Peu importe que l'on soit croyant ou non, cette merveilleuse définition conserve tout son sens. Le véritable enthousiasme ne dépend pas de ce qui vous arrive ni d'aucune raison extérieure, mais plutôt du pouvoir que vous avez de susciter des choses, de les provoquer. De la passion que vous avez en vous-même.

C'est une affirmation de soi.

S'aimer d'abord, raisonner ensuite

« Affirmation de soi », « attitudes positives », « image fidèle de soi-même », tout cela est très beau, me direz-vous. Mais que peut-on faire quand les circonstances de la vie semblent jouer contre nous ? Quand on a vécu une existence guère propice à l'amour de soi ?

Après tout, diront certains, la donnée première de ce bel idéal est bien cet amour qu'on se porte à soi-même. Or, qu'arrive-t-il quand on ne trouve pas de raisons suffisantes de s'aimer ? Tout ne risque-t-il pas de s'écrouler comme un château de cartes ?

Oui, sans l'ombre d'un doute, comme un château de cartes. Car, vu sous cet angle, c'est un château de cartes.

L'amour – l'amour de l'autre comme l'amour de soi – peut s'appuyer sur de quelconques raisons. Mais l'amour véritable ne saurait reposer sur quelque raison que ce soit.

Vous est-il déjà arrivé d'aimer quelqu'un ou quelque chose par la vertu de la raison ?

Vous pouvez bien sûr raisonner sur tout ce qui vous chante et même sur les raisons qui vous poussent à aimer.

Raisonner peut même s'avérer utile et peut vous aider à regagner une certaine confiance. Oui, tant que vous en faites un usage constructif afin de revenir à de meilleurs états d'âme.

Mais si vous en faites un usage obsessionnel dans le but, par exemple, de faire toute la vérité sur vous-même, de vous disséquer complètement, vous ne parviendrez qu'à vous enfoncer dans le doute. Car on ne peut tout découvrir sur soi. Et plus important encore : c'est en contradiction avec le principe même de l'amour. Le principe de l'amour qui naît d'un sentiment... irrationnel.

S'aimer pour des raisons objectives, c'est brancher l'amour sur une source qui n'est pas la sienne, la tête, et le débrancher par le fait même de sa véritable source, le cœur.

Si vous êtes comme le commun des mortels, vous trouverez, j'en suis sûr, autant de raisons de vous aimer que de raisons de vous haïr.

Pourquoi ne pas commencer alors tous vos raisonnements par cette prémisse[19] : « Je m'aime » ?

L'astronaute qui avait le mal de l'air

Tous connaissent M. Marc Garneau, l'astronaute canadien. Il s'est d'ailleurs présenté aux dernières élections fédérales au cours de l'année 2005. Mais il ne faudrait pas oublier qu'il a été le premier Canadien à s'envoler dans l'espace en octobre 1984. Tout un parcours pour ce jeune officier de formation, finissant

---

19. La prémisse est la base de tout raisonnement.

au collège militaire de Saint-Jean, qui avait toujours travaillé au sein de la marine et qui a osé, un jour, rêver de devenir un de ces héros de l'espace. Eh oui ! Il est né en février 1949 dans la ville de Québec. Il a un baccalauréat en génie ainsi qu'un doctorat en génie physique électrique du Collège impérial des sciences et de la technologie de Londres. Il était donc bien équipé en études, mais il avait un handicap majeur pour quiconque veut faire de l'aviation : il a le mal de l'air. Comment a-t-il pu avoir l'audace de répondre à la demande du gouvernement canadien à la recherche de candidats pour son programme spatial ? Comment Marc Garneau pouvait-il espérer réussir, lui, un marin souffrant du mal de l'air ?

Il osa quand même se présenter sans trop se poser de questions. Il ne pouvait alors se douter qu'une des expériences qui seraient tentées à bord de la navette aurait trait au mal de l'air. Il fut donc accepté. On avait justement besoin d'un gars pour étudier le mal de l'air. Il devenait à la fois astronaute et cobaye.

Sa nomination étonna la presse québécoise. Elle était contraire à toute logique. Mais ce qui allait davantage à l'encontre de la logique, c'était la folie de croire un seul instant que sa candidature serait retenue.

Marc Garneau ne s'était pas embarrassé de rationaliser, de se poser des tonnes de questions. Il avait foncé, sachant fort bien qu'il n'avait rien à perdre et tout à gagner.

Qu'auriez-vous fait à sa place ? Auriez-vous commencé par raisonner, par peser le pour et le contre ou par écouter votre intuition qui, elle, vous disait que vous aviez toutes les chances au monde ?

Le projet que chacun de nous caresse au plus profond de son être, pourquoi ne l'avons-nous jamais réalisé ? On y pense longtemps, mais on n'agit jamais. Souvent, alors que j'étais à la tête de ma petite entreprise, un centre de traitement des données

par ordinateur, et que tout allait bien, les gens me disaient :
« Tu sais, Jean-Marc, moi aussi j'avais pensé à une entreprise de
ce genre, et cela bien avant toi. » Je leur répondais : « Vous avez
raison. Ce n'était pas une idée toute neuve. Plusieurs y pensaient,
mais il y a une seule différence entre vous et moi : vous, vous y
pensez toujours, moi je l'ai fait ! »

Savoir se vendre

Ceux qui me connaissent savent à quel point j'aime la vente et
les vendeurs. J'ai écrit tout un bouquin sur la question[20]. Et
l'une des idées centrales de ce livre, c'est que la vente fait partie de
la vie de tous les jours. Elle fait partie de nos relations avec les
autres, peu importe que vous soyez « vendeur » ou non. On vend
toujours quelque chose à autrui sous la forme d'idées, d'opinions, de sentiments.

L'intérêt que vous mettez dans vos relations avec autrui en dit
long sur vos talents de vendeur ou sur l'effort que vous devriez
faire pour développer ce potentiel que nous avons tous. Il en
dit long aussi sur l'enthousiasme que vous éprouvez face à vous-
même. L'enthousiasme est contagieux… comme un virus ; c'est
un sentiment qui se transfère vite d'une personne à l'autre.

- Combien de gens avez-vous « contaminés » aujourd'hui ?
  cette semaine ? ce mois-ci ?

* * *

---

20. *Vivre, c'est vendre : pourquoi et comment vendre*, Montréal, Le Jour, 1981.

Un jour, je suis tombé sur une annonce qui m'a beaucoup frappé. On y lisait en substance ceci :

« Chers patrons,

J'ai enfin terminé mes études et je me cherche un emploi comme concepteur en publicité.

J'ai étudié la littérature, le cinéma, les communications, la politique, les mathématiques 103, l'administration et le caractère de mes blondes !

J'ai voyagé, j'ai travaillé sur une ferme, j'ai été annonceur à la radio, guide touristique, employé de Radio-Canada, et même chômeur !

Téléphonez-moi, je me ferai un plaisir d'aller vous rencontrer.

Je peux vous aider, c'est sûr ! »

Et il donnait ses coordonnées. Dans la semaine qui a suivi la parution de cette offre inusitée, des dizaines de gens approchèrent ce jeune homme. Il fut placé devant l'agréable problème d'avoir à choisir la meilleure offre parmi toutes celles qu'il avait reçues.

L'auriez-vous cru ? Ce garçon a suivi une idée de départ qui pourrait sembler folle à plusieurs personnes en chômage : faire paraître une annonce pour offrir ses services !

Mais allez raconter cela aux gens sans emploi et vous aurez quelqu'un qui ira jusqu'à dire que le gouvernement devrait fournir une subvention à la publication de petites annonces pour la recherche d'un emploi.

Cependant, Marc Garneau, lui, ne s'est pas embarrassé de raisonnements. Il a suivi la voie de son intuition : il sentait qu'il avait toutes les chances au monde ! « Tu commences par t'aimer et avoir confiance ! Tu y penses par la suite ! »

Vous est-il déjà arrivé d'avoir une bonne pulsion, de sentir que vous avez une excellente idée, mais de rationaliser au lieu de passer aux actes ? En français, on dit tergiverser ! Pensez aux discussions sur tous les aspects de la politique canadienne. On rationalise ! Ou peut-être résonne-t-on comme des timbales !

Les « tiroirs à gogosses »

Bien des gens diront : « Oui, mais ce genre de truc ne marche qu'une fois. Et tout le monde n'est pas aussi créatif que ce garçon, avec sa publicité parue dans les petites annonces d'un journal. »

La vérité, c'est que nous sommes tous créatifs, mais beaucoup ne savent pas le reconnaître. On gâche notre créativité dans des raisonnements trop bien montés mais combien stériles !

Vous est-il déjà arrivé d'entrer dans votre cuisine et de fouiller dans des tiroirs que vous n'aviez pas ouverts depuis longtemps ? Ce qu'on pourrait appeler de véritables « tiroirs à gogosses » ! Vous retrouvez tout à coup une vieille vis, et vous dites : « Ça y est, je vais pouvoir réparer ma vieille lampe » ; un pot en plastique : « Ça y est, je vais en faire un abreuvoir pour les moineaux » ; un gros clou : « Ça y est, je vais clouer pépère au mur », la photo, j'entends !

Ces « tiroirs à gogosses », nous en avons tous un entre les deux oreilles. Vient un temps, malheureusement, où l'on cesse de le remplir, où l'on hésite à l'ouvrir, ou encore on a peur de voir ce qu'il recèle. C'est pourtant avec des « gogosses » de ce genre qu'on fait de la créativité.

Vous n'avez pas idée du potentiel que ces petits riens représentent !

Mais vous savez ce qui est terrible ? C'est qu'avec le temps, les gens s'enferment dans des habitudes et se font une vie sans variété, sans nouveauté, routinière. Les « tiroirs à gogosses » se remplissent de moins en moins. Et comme on n'y met plus rien, on se retrouve sans « matériaux » pour créer.

Je connais des gens qui vont chaque année en Floride depuis un quart de siècle. Fort Lauderdale, escale à Miami, retour en février, et ça recommence l'année suivante. Ils aiment ça, Fort Lauderdale. Ils ont les journaux du Québec, la télévision du Québec. Ils sont tout un groupe de Québécois à vivre ensemble sur le même terrain de camping. Oh ! je ne voudrais pas nier toute la joie de vivre que j'ai pu y expérimenter. Mais pourquoi ne pas aller en Afrique ? en Europe ? Pourquoi ne pas aller ailleurs ? Que peuvent-ils aller chercher d'autre en Floride que du déjà-vu ? Y a-t-il une découverte pour aller plus loin dans sa propre vie ?

Je connais des gens qui vont se confiner strictement à un auteur en particulier et qui ne voudront lire aucun autre auteur, et même d'autres qui vont préférer relire cinq fois le même roman plutôt que de se lancer dans la lecture d'un nouveau, ou, mieux encore, de changer de genre, de lire un essai, une biographie.

Que vont-ils mettre dans leur « tiroir à gogosses », sinon des choses qui s'y trouvent déjà ?

Mais cette peur d'aller vers l'inconnu, n'est-ce pas aussi, en un sens, une illusion de sécurité ? La peur de s'affirmer avec toutes ses différences !

George Bernard Shaw disait : « L'homme raisonnable s'adapte au monde. Celui qui n'est pas raisonnable s'entête à essayer d'adapter le monde à lui-même. Par conséquent, tout progrès vient de l'homme déraisonnable. » La raison semble tuer la créativité et, ce faisant, empêche l'humain d'aller plus loin. On pense tellement qu'on oublie de vivre, de créer, de s'aimer, de vivre.

Libre après neuf ans de prison

L'affirmation de soi est, encore une fois, du domaine de l'irrationnel. L'explication, le raisonnement, la logique sont futiles ou, du moins, secondaires en ce domaine !

Il faut s'exciter pour soi-même, s'enthousiasmer, aussi simpliste que puisse paraître cette excitation !

N'est-ce pas exactement ce que j'ai fait au plus noir de ma crise financière ? Je n'ai rien de vraiment exceptionnel à cet égard. Nous avons tous la force de surmonter une condition qui nous déplaît.

* * *

L'histoire du prisonnier Gaétan en est une magnifique illustration. Cet homme avait purgé une partie de sa sentence et on venait de lui annoncer sa libération conditionnelle.

Libre après neuf ans de prison ! Je vous laisse imaginer le mélange de joie et d'angoisse qu'il pouvait ressentir.

Durant sa peine, Gaétan s'était passionné pour l'étude de la mécanique. Il avait dévoré des piles de manuels sur le sujet, il avait même fabriqué un oscilloscope de ses propres mains. Il n'aurait pu s'imaginer ailleurs que dans un garage en train de réparer des voitures ou de concevoir des systèmes compliqués.

La mécanique occupait à elle seule plusieurs de ses « tiroirs à gogosses »... Et vous pouvez me croire : il les remplissait continuellement à craquer !

Ensemble, nous avons donc monté un dossier dans ce secteur de l'industrie. Je lui ai d'abord demandé :

« Gaétan, c'est bien beau, la mécanique, mais où veux-tu exercer ce métier ?

– N'importe où, me répondit-il.

– Cela n'existe pas, n'importe où. Il n'y a pas de ville au Québec qui porte ce nom.

– N'importe où, sauf la ville où je suis né. Je ne veux pas retourner vivre dans ce village. (Et il avait bien raison.)

On prit donc une carte géographique et là, il me montra une ville qu'il préférerait peut-être entre plusieurs autres. Puis on découvrit par la suite qu'il s'y trouvait trois concessionnaires d'automobiles.

– Laquelle préfères-tu ? lui demandai-je lors d'une visite subséquente.

– Ah ! celle-là certainement, me dit-il, pointant le plus gros concessionnaire du coin.

– Bon ! Alors comment vas-tu te présenter chez ce concessionnaire ? Vas-tu te préparer un *curriculum vitæ* ?

– Je vais tout simplement lui demander un formulaire de demande d'emploi, que je vais remplir et retourner par la poste.

– Mais mon pauvre Gaétan ! Il y aura là dans cette demande une question qui t'obligera à énumérer tes emplois précédents. Il va y avoir un trou de neuf ans correspondant à ton séjour ici. Non, Gaétan ! Il faut se préparer mieux que ça. De plus, il te faudra aller te vendre en personne, pas par la poste. »

Comme au théâtre, nous avons répété une scène typique d'entrevue où je jouais tour à tour le rôle du patron et celui du candidat. On a même étudié la liste des motels où il demeurerait lors de son séjour dans la ville.

Mais c'est alors que des handicaps sérieux ont commencé à poindre. Gaétan ne savait pas sourire. Son regard était fuyant. Il n'osait jamais regarder les gens dans les yeux. Et sur le formulaire de demande d'emploi, à la case « Expériences antérieures », il ne trouvait rien d'intéressant à écrire pour remplir l'espace laissé en blanc par ce long séjour de neuf ans.

Il avait toutes les difficultés du monde à « bien paraître ». Tant bien que mal, nous avons essayé de lui redonner bonne contenance. Et je crois que nous avons réussi.

Le jour dit, nous avons convenu qu'il irait dans la ville choisie. Il savait déjà à l'avance le nom du motel. Il en avait même le dépliant publicitaire. Arrivé sur les lieux, il téléphona de sa chambre au concessionnaire afin qu'on lui fixe un rendez-vous. Il a tout fait sans négliger aucun des détails prévus.

« Je suis de passage en ville, monsieur. Je veux vous rencontrer, car j'ai une proposition intéressante à vous faire. Puis-je vous rencontrer demain en après-midi, ou le matin vous conviendrait-il davantage ? »

Le lendemain, assis dans le bureau, sa mine découragée et son regard hésitant avaient tout à coup cédé la place à une étonnante assurance, à un enthousiasme débordant. Pourquoi ? On avait tout répété, comme au théâtre. Il jouait sa propre pièce.

« Vous êtes chanceux ! a-t-il lancé au propriétaire étonné. J'aurais pu choisir n'importe quel autre concessionnaire, mais je vous ai choisi. Pourquoi vous êtes chanceux ? Vous avez devant vous le meilleur mécanicien au Québec ! J'ai fait le plus long cours de mécanique jamais vu ! Neuf ans d'études ! Neuf ans sans arrêt dans une école où personne n'a jamais fait la grève.

Comme le bonhomme semblait quelque peu surpris, et profitant de son effet, Gaétan lui tendit sa feuille de libération conditionnelle :

– Et pour le prouver, voici mon diplôme ! Quand est-ce que je commence ? »

Il vendait, il se vendait, et cela a réussi.

Au-delà de tous les préjugés et craintes souvent justifiés, il obtint son poste.

Huit mois plus tard, on le nommait gérant de service. La compagnie d'assurances ayant refusé de lui donner le bon de garantie exigé par le fabricant d'automobiles, c'est le propriétaire du garage lui-même qui s'en porta garant.

Je ne sais pas ce qu'il est advenu de Gaétan aujourd'hui. Peut-être a-t-il poursuivi son ascension. Peut-être a-t-il fondé une famille. Mais son exemple nous éclaire sur l'importance de cet amour que l'on éprouve pour soi-même. Sur l'importance de nos sentiments à l'égard de ce que nous sommes et pouvons devenir.

Oublier !

Le mot « devenir » exprime l'une de mes notions favorites. Il est d'une importance capitale en matière de développement personnel.

Mais ce qui m'étonne, c'est l'usage que la plupart des gens en font. On dit souvent : « Je suis devenu telle ou telle chose... » et rarement : « Je deviens... » au présent de l'indicatif, comme si le devenir appartenait au passé.

En fait, nombreux sont les gens qui ont tendance à vivre dans le passé, à revenir constamment dans le monde de leurs souvenirs.

On parle beaucoup de la maladie d'Alzheimer, dont le symptôme le plus attristant est la perte de mémoire. Mais il existe aussi un trouble de la mémoire qui consiste, en revanche, à trop en avoir ! Les personnes atteintes de ce mal, qu'on appelle l'hypermnésie, sont à ce point assaillies par leurs souvenirs jusque dans les moindres détails qu'elles en perdent le contrôle et sont en butte à de terribles obsessions.

On raconte qu'un hypermnésique eut la vie gâchée par une simple promenade au cimetière. Sans même le vouloir, il avait retenu tous les noms et les dates de décès gravés sur les tombes. Et ces souvenirs l'ont poursuivi... jusque dans la sienne !

De nombreuses recherches ont été faites à ce jour sur cette étrange faculté qu'est la mémoire. Et l'une des conclusions qui a fait l'unanimité confirme la vieille boutade : la mémoire est une faculté qui oublie. On a besoin d'oublier. L'oubli est vital à notre développement.

N'y a-t-il pas des choses que vous gagneriez à oublier une bonne fois pour toutes ?

Regardez l'enfant qui commence à marcher. Il se lève, titubant, tombe et se relève. Il se frappe le front sur le coin de la table. Deux points de suture. Mais va-t-il pour autant cesser de marcher ? Non ! Il oublie très vite. Pourquoi ? Il n'a pas de mémoire. Pour lui, toute la vie se résume au moment présent. Il repart de plus belle.

Voici une expérience théorique. Ne la tentez surtout pas ! Prenez un enfant d'un an qui se traîne sur le plancher de la cuisine et ouvrez la porte du sous-sol ! En quelques minutes, le voilà tout près de l'escalier ; il regarde le trou noir, les marches qui fuient vers le bas. Le voilà qui avance, et v'lan, il déboule les escaliers, se frappe le front sur le plancher de ciment. Il hurle de douleur. Affolés, les parents le prennent dans leurs bras, le cajolent, le consolent. Dix minutes plus tard, une fois consolé, replacez-le sur le plancher de la cuisine et ouvrez de nouveau la porte du sous-sol. Le même scénario recommence. On accourt, on le console de nouveau et on se dit : « Il va se tuer si cela continue. Il ne comprend pas, il ne tire aucune leçon de son expérience passée ! » Mais nous, en adultes, on a peine à réaliser qu'il apprend tout simplement à descendre les marches.

Prenez maintenant un adulte qui, curieux de ce qu'il peut y avoir dans le sous-sol, manque la première marche et aboutit avec fracas sur le plancher de ciment. Il se réveille, assommé, et se dit, car il a de la mémoire : « Cela est très dangereux. Un gars peut se tuer à l'occasion d'une chute pareille ! Il faut être plus attentif. » Et que fait-il ? Au lieu de remonter les escaliers, il demeure dans le sous-sol : il n'ose plus recommencer, car il se souvient.

« Je me souviens »

Il y a plusieurs années, les Québécois avaient une belle devise inscrite fièrement sur les plaques de leurs voitures, La Belle Province. Quand je me promenais aux États-Unis, les Américains me doublaient et passaient la tête hors de la voiture pour s'écrier joyeusement : « Hé ! La Belle Province ! »

Par la suite, nous avons changé cette inscription pour « Je me souviens » ; elle est toujours là, nous suivant partout sur les routes d'Amérique.

Depuis ce temps, aucun Américain n'a passé la tête hors de sa voiture pour me crier : « Hé ! Je me souviens ! »

Notre devise les aurait-elle rendus perplexes ? On se souvient de quoi, au juste ?

Je reviens souvent à l'exemple de l'automobile pour montrer aux gens l'importance d'oublier, de regarder devant plutôt que derrière soi. Les ingénieurs qui ont conçu les voitures n'étaient peut-être pas de grands philosophes, mais ils ont eu ce coup de génie de faire un pare-brise de six pieds et un minuscule rétroviseur de six pouces. Pourquoi cette disproportion ? Pour la bonne raison qu'il est plus important de savoir où l'on va que de regarder d'où l'on vient ! C'est une image pour se rappeler que la vie est en avant de nous, et non derrière !

Sur quoi avez-vous gardé les yeux ces derniers temps : sur le pare-brise ou sur le rétroviseur ?

Sur le passé ou sur le moment présent ?

La douleur d'être soi-même

Devenir soi-même, avoir le sentiment profond de son identité, ce n'est pas chose facile.

Je remplirais plusieurs volumes comme celui-ci si je devais énumérer tous les facteurs qui peuvent nous éloigner du but recherché : se connaître. Il y a tous les attrape-nigauds auxquels on peut succomber dans cette recherche de soi-même.

Mais c'est dans votre attitude devant ces choses que tout se joue.

Vous pourriez décrire la vie comme un cheminement à la rencontre de vous-même et dont la justesse dépendrait du guide que vous avez choisi. Devez-vous écouter la raison, la pensée scientifique, l'opinion des livres savants, l'opinion des autres autour de vous, ou devez-vous apprendre, tout simplement, à écouter votre intuition, à écouter ce que vos tripes veulent vous dire ?

En 1985, ma femme tomba gravement malade. Cancer du côlon. Les médecins qui l'avaient examinée lui donnaient à peine quelques mois à vivre : de 20 à 25 % de chances de passer l'année.

Nous étions sidérés. Tout s'était passé si vite !

Au mois de mai de la même année, elle entra à l'hôpital où l'on devait l'opérer. Jamais je n'avais été aussi inquiet de toute ma vie ! La santé de Céline était devenue ma principale obsession. Je ne pouvais m'empêcher d'y penser un seul instant. Impossible de le traduire en mots précis, mais, pour la première fois de ma vie, j'étais en proie à une peur incontrôlable. Une peur contre laquelle je ne pouvais rien. Je sentais toute mon impuissance.

Je me suis aperçu alors d'une chose troublante qui m'a beaucoup fait réfléchir : j'étais pour elle sa principale inquiétude ! Couchée sur son lit d'hôpital, Céline se souciait par-dessus tout de savoir dans quel état j'étais, si je mangeais convenablement, si je me reposais, sans vraiment s'arrêter à ce qui était en train de lui arriver à elle. Elle pensait à l'autre. Elle aimait trop… et peut-être mal…

Nous étions comme deux adultes qui s'oublient l'un dans l'autre.

La situation était dure à vivre. Surtout que Céline ne semblait pas remonter la pente. Elle se faisait trop de souci à mon sujet.

Un jour, une infirmière, dans un geste énergique, remit les choses à la bonne place. Prenant le bras de ma femme, elle lui demanda de lire le nom inscrit sur le petit bracelet d'identité à son poignet :

« Cé-li-ne Gra-ton, prononça-t-elle.

– Céline Graton, répéta l'infirmière. Alors ici, tous ensemble, l'hôpital avec tout le personnel, c'est de Céline Graton qu'on va s'occuper, pas de Jean-Marc Chaput. Jean-Marc est un grand garçon et il saura très bien se débrouiller seul. »

La remarque nous avait profondément impressionnés.

La vie continua de mon côté. Quant à ma femme, sa tumeur fut enlevée et, contre toute attente, le cancer fut guéri ou, comme le disent si bien les savants, on pouvait parler de rémission.

Mais l'histoire montre que, dans notre poursuite de l'amour de soi, nous sommes parfois tiraillés dans nos rapports avec les autres. Nous sommes plus enclins à chercher l'autre qu'à faire l'effort de se chercher soi-même.

Peut-être refusons-nous parfois d'affronter la douleur et les difficultés de cette quête de soi ? La douleur d'être soi-même au milieu des autres ?

C'est une épreuve à laquelle notre éducation nous a peu préparés. On s'imagine faussement que, pour faire la conquête de soi-même, il nous faudra renoncer aux autres d'une certaine façon, qu'être soi-même risque de nous éloigner du reste de la société, qu'être soi-même constitue de l'égocentrisme !

Alors qu'au fond, c'est la base d'un véritable rapprochement entre les êtres, comme l'a si bien démontré Khalil Gibran avec ces vers magnifiques :

> Emplissez chacun la coupe de l'autre
> Mais ne buvez pas à une seule coupe
> Partagez votre pain
> Mais ne mangez pas de la même miche
> Chantez et dansez ensemble et soyez joyeux
> Mais demeurez chacun seul
> De même que les cordes d'un luth sont seules
> Cependant qu'elles vibrent de la même harmonie
> Donnez vos cœurs
> Mais non pas à la garde l'un de l'autre
> Car seule la main de la Vie
> Peut contenir vos cœurs

Et tenez-vous ensemble, mais pas trop proches non plus ;
Car les piliers du temple s'érigent à distance
Et le chêne et le cyprès ne croissent pas
Dans l'ombre l'un de l'autre

Si vous ne saviez pas encore ce qu'est vraiment la marginalité, ce que signifie vraiment le fait d'être marginal, ce poème vous le dira mieux que personne. C'est être à côté de l'autre, mais avant tout c'est « être » !

À la conquête des sept sommets !

Pour terminer ce chapitre, voici une histoire de « fous ».

Avez-vous entendu parler de ces deux marginaux extraordinaires nommés Dick Bass et Frank Wells ? Probablement pas ! Pourtant, ce sont des gens qui ont accompli un exploit qui n'a jamais été refait depuis.

Dick Bass était entrepreneur. À l'époque de leur rencontre, Frank Wells était président des studios Warner Bros. Plus tard, il est devenu PDG des studios Disney. Il est décédé il y a une quinzaine d'années lors d'une expédition de ski au Colarado. Les deux hommes se croisèrent pour la première fois un beau jour du mois d'août 1981. Ils se reconnurent tout de suite un point commun : la folie des extravagances, de l'aventure, de défier la vie !

Et il n'en fallut pas plus pour qu'un projet complètement farfelu germe dans leur esprit : escalader les sept plus hauts sommets du monde.

Le plus farfelu de l'histoire, c'est que les deux hommes étaient parfaitement sérieux malgré leur manque total d'expérience en ce domaine. À partir de ce jour, ils se donnèrent quatre ans pour apprendre l'abc de l'alpinisme. Quatre ans plus tard, jour pour jour, après un dur entraînement, les deux hommes se retrouvèrent pour fêter le grand départ avec leurs amis.

L'ascension commença avec l'Aconcagua d'Amérique du Sud. Puis ce fut le mont Everest du Népal, le Kilimandjaro d'Afrique, le mont Vinson d'Antarctique, le mont McKinley d'Amérique du Nord, l'Elbrouz d'Europe et enfin le Kościuszko d'Australie. Des noms évocateurs, mais qui en disent bien peu sur les joies, les terreurs, les angoisses et les moments d'euphorie que les deux hommes ont dû traverser.

De retour au pays, on ne manqua pas de les admirer pour cet exploit hors du commun.

L'encre coula à flots.

Mais on oublia de mentionner le « huitième sommet » que Bass et Wells durent franchir constamment, à chaque ascension d'un nouveau sommet, un fameux « huitième sommet » qui s'est ajouté aux sept autres.

C'était peut-être, au fond, la raison d'être de tous leurs exploits et que Ross Perot a cernée en quelques mots : « Dick Bass et Frank Wells ont partagé une grande aventure, écrivait-il dans un livre intitulé *Seven Sommets*. Comme César, ils sont venus, ils ont vu et ils ont vaincu. Mais, en réalité, c'est la conquête d'eux-mêmes qu'ils ont réalisée, non celle des montagnes. » Bernard Voyer dit avoir toujours vécu la même expérience à chacune de ses aventures.

Comme Bass et Wells, l'amour de soi, le besoin de s'affirmer, de se réaliser, peuvent parfois nous entraîner dans de folles aventures qui ne semblent pas raisonnables.

Il ne faut pas prétendre, toutefois, qu'il soit nécessaire pour cela d'aller gravir des montagnes, d'accomplir des exploits éclatants ou d'aller marcher sur la lune. Comme le disait si bien Jean-Paul Desbiens à propos de la jeunesse : « Ce qui importe, c'est qu'un jeune soit conduit, une bonne fois, à l'extrême limite de son territoire. Quand il se sera planté à l'extrême limite de son territoire, il aura étendu à tout jamais ses propres frontières. »

Cette réflexion vaut pour vous, pour moi et pour chacun de nous, sans égard à l'âge ou à la condition. Elle vaut à 15, 25, 50, 80 ans, et même plus !

Personne ne peut se dépasser. Mais chacun peut aller au bout de soi.

Vous êtes-vous donné la chance que vous méritez ?

Avez-vous exploré vos frontières ?

Chapitre 6
Aimer l'autre

Un souvenir troublant m'est revenu en mémoire alors que je rassemblais mes notes pour ce chapitre. C'était un soir, au Témiscamingue. Je venais de prononcer une conférence. Tandis que la salle se vidait, un couple d'âge moyen s'est approché de moi pour entamer la conversation. Comme la soirée tirait à sa fin et la conversation aussi, l'homme et la femme m'ont offert d'aller prendre un dernier café au sous-sol de leur maison. Étant déjà fort occupé, je commençai par hésiter. Mais le couple insista tellement que je finis par le suivre.

Arrivés au sous-sol, nous poursuivîmes la conversation un moment sur des banalités. Puis, soudainement, le silence. La femme me regarda. L'homme semblait ému.

« Nous avons vécu un drame, dit-elle. Ici même, dans cette pièce. Il y a quelques années, notre garçon s'est suicidé en laissant une dernière note sur la table. »

Sans dire un mot de plus, elle se leva, alla chercher la note et me la tendit.

Tout de suite, mon regard fut attiré au bas de la feuille. Je lus ces mots qui me bouleversèrent :

« Il n'y a plus de place pour moi dans la société... »

Cette phrase m'est revenue souvent à l'esprit depuis.

Il y a quelque chose dans le suicide qui nous trouble irrésistiblement, comme une sorte de message dont nous avons parfois peur d'assumer les conséquences.

Devant le geste de ce garçon, beaucoup de gens auraient tendance à réagir en rationalisant les choses, en disant par exemple : « Il est faux de prétendre qu'il n'y a pas de place pour les jeunes dans notre société. Ce garçon a succombé à un malheureux coup de cafard. C'est une dépression nerveuse qui l'a achevé, il aurait mieux fait de consulter un psychiatre au bon moment. »

Ces réflexions ont sans doute leur part de vérité. Je n'ai pas la compétence nécessaire pour trancher la question. Et je n'ai aucune envie d'énumérer les différentes causes de suicide ; elles peuvent sembler aussi nombreuses qu'il y a de personnes différentes et de vécus différents.

D'ailleurs, ce chapitre ne traite pas du suicide. À chacun d'interpréter le problème en son âme et conscience.

Mais ce qui retient par-dessus tout mon attention et me porte à réfléchir, c'est le message laissé par ce garçon. Un message qui peut prêter à confusion selon que vous le déchiffrez avec la tête ou avec le cœur.

D'un point de vue rationnel, sa petite phrase ressemble en effet à une tragique erreur : s'il avait vécu, il aurait pu trouver sa place parmi nous. Il y a une place pour tout un chacun au sein de notre société sans considération d'âge, de statut ou d'origine. À chacun sa place au soleil !

Mais du point de vue des sentiments, on peut se demander si c'était vraiment ce qu'il avait voulu dire, si ce garçon n'était pas plutôt désenchanté par l'impression, justement, de ne pas pouvoir prendre la place qu'il désirait.

L'avons-nous aidé à la prendre, l'avons-nous aidé à s'affirmer ? Voilà peut-être au fond la question tragique qui ne reçut pas d'échos et qui précipita son geste. Une question qui devrait faire réfléchir non seulement les gens confrontés à des personnes suicidaires, mais chacun de nous vis-à-vis des autres.

Car aimer l'autre, n'est-ce pas aussi, en un certain sens, lui laisser de la place ? Le soutenir dans sa recherche de lui-même ?

C'est aussi lui prêter l'oreille, au lieu de constamment chercher à le bombarder de connaissances, comme on le fait trop souvent à l'école. Lui prêter l'oreille en famille pour entendre ses questionnements d'enfant. Lui prêter l'oreille au travail pour apprendre sa vision de la tâche à accomplir, de l'organisation de l'équipe.

N'est-ce pas, enfin, reconnaître en lui une personne bien distincte, qui a ses propres expériences à vivre et quelque chose d'unique à apporter ?

N'est-ce pas enfin, pour une deuxième fois, une valeur que la société a éliminée de son vocabulaire : la tolérance ? Cette tolérance qui permet à l'autre d'être lui-même, sans craindre d'être traité d'étranger, de marginal. Mais pas une tolérance négative qui laisserait entendre qu'on est prêt à l'endurer, mais non à l'accepter à part entière, qu'on le tolère !

J'ai eu la chance de naître dans une famille bien particulière. Ma mère était de langue anglaise, Écossaise de naissance ; elle comprenait la langue française, mais la parlait difficilement et ne la lisait pas. Mon père, au contraire, ne parlait que la langue française. Mais comme ils dansaient merveilleusement bien ensemble, ils se marièrent, et je naquis de ce couple trois ans après le mariage qui réunissait, comme l'a si bien dit Hugh McLennan, « les deux solitudes ».

Pourtant, aussi loin que je me souvienne, j'entends ma mère me dire en anglais : « *Your father does not think like I do on this.* » Et mon père de dire : « Ta mère et moi ne pensons pas de la même manière sur ce sujet. Ce sont toujours ses raisonnements d'Anglaise », lançait-il à la blague. Quel respect ! Quelle tolérance ! Laisser l'autre penser comme il l'entendait, et demeurer soi-même.

Dans un grand pays appelé Canada ou un plus petit pays appelé Québec, quelle dose de tolérance pouvons-nous nous offrir ! Accepter les autres pour ce qu'ils sont, et non vouloir les changer. Pourquoi un Haïtien né chez nous mais élevé dans une famille avec les traditions, les valeurs de son pays, devrait-il courir comme nous le faisons à cœur de jour ? Pourquoi faut-il que lui aussi soit toujours pressé ? Peut-être qu'« aimer l'autre » voudrait dire le respecter pour ce qu'il est. Certes, il doit cependant respecter les valeurs propres au pays, les accepter comme celles de tous les gens du pays. Mais ne pourrait-il pas nous apporter un autre élément pour améliorer notre vie commune ?

Et vous, monsieur l'entrepreneur, monsieur le chef d'entreprise, ceci s'applique à vous, même à l'intérieur de l'entreprise. Vous souvenez-vous de mon exemple des restaurants McDonald's ? Voyez-y les enfants tout jeunes se promener avec leur verre de lait ou de boisson gazeuse. Certes, les dirigeants de McDonald's savent bien que ces enfants ont de petites mains qui ne pourront tenir le verre et qu'inévitablement, ils vont le renverser sur le plancher. Pourtant, ils ne sont pas partis à la recherche d'enfants d'un an avec de grosses mains. Non ! Ils ont plutôt fait des planchers qui « ramassent » le lait. Ils sont tous en tuiles facilement lavables. Ils ont pris les enfants d'un an tels qu'ils étaient sans vouloir les refaire, mais ont compris qu'il fallait aménager pour eux un espace agréable où ils ne craindraient pas de tout salir. Combien d'entreprises veulent changer leurs clients, les éduquer, modifier leurs heures de réception de marchandises, revoir leurs habitudes d'achat? On dit qu'on va éduquer le client! Cessons d'éduquer et aidons les autres, les clients, les employés à être davantage eux-mêmes.

L'Univers veut éduquer l'autre! Mais éduquer, c'est quoi?

Éduquer l'autre ou l'écouter?

Le raisonnement de la plupart des gens est simple : on n'écoute pas les autres parce que ceux-ci ne nous écoutent pas. Voilà tout. La réflexion a un côté enfantin, puéril, elle ramène tout à notre nombril. Mais elle est difficile à contourner.

En réalité, nous perpétuons souvent les comportements de nos parents et de nos éducateurs à l'époque où nous étions encore enfants.

Si ceux-ci pouvaient parfois donner l'impression de nous prêter l'oreille, dans la grande majorité des cas, leur principal intérêt était de nous éduquer, de nous former. On nous écoutait surtout dans la mesure où c'était utile à notre éducation et on cessait immédiatement de le faire quand nous écouter, nous, les enfants d'alors, risquait de remettre les choses en question. En fait, nous étions jusqu'à un certain point en stage de dressage comme des chiens au chenil.

Vous souvenez-vous de cette période, il y a quarante-cinq ans, où nos enfants nous cassaient les oreilles à propos de leurs cheveux longs? Un de mes fils avait décidé d'avoir les cheveux sur les épaules! Je lui avais alors dit que cela ne se faisait pas.

« Pourquoi? avait-il rétorqué.

– Parce que les hommes n'ont pas les cheveux longs.

– Et Louis XIV, il les avait courts ? Pas sur les gravures de mon livre d'histoire.

– Et puis, c'est sale.

– Comment ça, sale ? Je les lave tous les soirs, plus souvent que toi, papa ! »

Que dire devant de tels arguments ? Mais à y penser, aujourd'hui, était-ce si important ? La preuve : de guerre lasse, j'avais capitulé. Ses cheveux étaient devenus très longs. Puis deux ans plus tard, il les a fait couper. En racontant l'histoire, je me rends compte à quel point je n'écoutais pas !

Cependant, nous ressentions, chacun de nous, le besoin profond de nous faire entendre. Et celui-ci devenait si intense que nous avions peut-être tendance à empiéter sur la personne qui daignait enfin nous écouter. Satisfaire notre besoin devenait alors la chose la plus importante à nos yeux. Et nous n'étions donc pas naturellement portés à rendre la pareille. Avons-nous tellement changé ?

D'ailleurs, n'avez-vous pas remarqué à maintes occasions que l'inverse était aussi vrai ? Que les gens que vous écoutiez de tout cœur ne faisaient souvent preuve d'aucune réceptivité à votre égard ? Cela a sans doute engendré beaucoup de frustrations.

La question enfantine nous trotte encore dans la tête : « Pourquoi écouterais-je l'autre, alors qu'il ne m'écoute pas ? » Mais le plus paradoxal est que, en fouillant un peu, nous pourrions peut-être découvrir que cet autre tient tout à fait le même raisonnement.

Et la courbe se referme pour former un cercle vicieux.

Nous sommes des milliers à raisonner ainsi. Des milliers ?

À l'échelle de la société, nous sommes pourtant les premiers à nous plaindre de la solitude, de l'écart qui se creuse entre les générations, de l'indifférence. Mais nous ne nous demandons pas tout ce que notre raisonnement individuel peut avoir d'absurde.

On prend l'habitude de ne pas écouter. Pendant des années, nos industries nord-américaines ont ignoré les clients : ils fabriquaient des produits, puis cherchaient à les vendre. Et pas seulement les petites entreprises, mais aussi les plus grosses. La compagnie Ford a produit, dans les années 1960, le modèle Edsel, une grosse voiture, alors que le marché nord-américain en voulait de plus petites. Dans les derniers vingt ans, la compagnie General Motors a produit en série des autos de moins en moins bien construites pour se voir damer le pion par les automobiles japonaises, coréennes.... de fabrication plus soignée. On oubliait de demander aux clients ce qu'ils voulaient !

* * *

Un jour, une chaîne d'hôtellerie s'inquiétait de la baisse des réservations du côté corporatif pour la tenue de réunions et de congrès d'envergure. Ils décidèrent de faire enquête et de demander aux différents intervenants, entre autres choses, quels étaient les facteurs importants que ces réunions exigeaient lors des nombreuses pauses. Il fallait du café, des jus, des biscuits, des fruits, mais plus que cela, qu'est-ce qui faisait qu'une pause-café était réussie et une autre moins ? Pour le chef des cuisines, il était primordial, et il le citait comme le tout premier critère, que le café soit le meilleur, que les fruits soient les plus frais possible mais bien mûrs, que les jus soient bien glacés, mais pas trop, que les biscuits soient moelleux et goûteux. Pour le maître d'hôtel, tout ce qui précède était important, mais il fallait avant tout soigner la présentation des produits. Après tout, nous mangions d'abord avec nos yeux ! Il fallait donc que la table soit très bien montée, avec une belle nappe bien propre, que les tasses soient toutes bien alignées, que les cafetières soient bien astiquées, etc. Mais le directeur eut tout à coup une idée brillante : pourquoi ne poserait-on pas la question aux clients, aux personnes qui organisent les congrès ? Pour ces derniers, les critères énumérés par le chef et le maître d'hôtel étaient importants, mais il y en avait un autre qui les dépassait tous en importance : il fallait avoir beaucoup de tables réparties dans la salle pour que plusieurs convives puissent se servir à la fois. Ainsi, le service serait beaucoup plus rapide et les participants pourraient reprendre les sessions en deçà du temps prévu. Heureusement que la direction avait osé questionner les clients qui, eux, lui ont appris ce qui leur importait le plus.

Avez-vous pris la peine d'écouter vos amis, votre famille ou même des inconnus cette semaine ? Ou attendez-vous le plus souvent que les autres vous écoutent, vous ?

L'indifférence, une peur de la différence

Il peut y avoir plusieurs raisons au fait que vous n'écoutiez pas les gens, des bonnes comme des mauvaises. Votre état physique vous indispose peut-être et vous rend moins réceptif. Votre esprit est accaparé par autre chose et vous n'êtes pas vraiment disponible, etc.

Ou encore, l'éducation n'est pas tournée vers l'autre. On évolue dans une société égocentrique où, il y a quelques années, une compagnie de parfum a trouvé normal que son tout nouveau produit s'appelle Égoïste. Et pour le lancer, on a produit à coups de millions pour la télévision un message publicitaire où un seul mot était prononcé par plusieurs jeunes femmes ; ce n'était même pas une phrase, mais un cri : « Égoïste » ! Est-ce un signe des temps ? Je sais qu'on insiste beaucoup sur l'importance du moi ! Mais il est bon de se rappeler ce que disait si bien le professeur Jacquard : « Je suis moi parce que tu es ! » On a besoin de l'autre pour se trouver soi. Et pour cela il faut écouter l'autre !

* * *

Deux événements m'ont beaucoup donné à réfléchir il y a un certain nombre d'années. Un soir, une jeune femme, cadre dans un grand bureau de courtage à New York, décide d'aller faire de la course dans Central Park. Il est environ 9 h 30 quand elle est assaillie par une douzaine de jeunes qui la frappent, la violent et la laissent à demi consciente sur la pelouse. On put par la suite procéder à l'arrestation de ces douze jeunes. Mais voici le plus surprenant. Alors qu'on aurait dû se trouver en présence de voyous, tout au contraire, tous ces jeunes étaient de familles très unies, tous étudiaient dans des collèges privés. Aucun ne prenait de la drogue. À la question : « Mais qu'est-ce que vous vouliez faire ? » les jeunes ont répondu qu'ils faisaient du *wilding*, c'est-à-dire qu'ils agissaient ce soir-là « en sauvages », tout simplement.

Sensiblement à la même époque, un avion de la compagnie US Air s'est abîmé dans la rivière Potomac, en plein cœur de Washington. Parce que l'on était à l'heure du retour du travail, il y eut de tels embouteillages que les équipes de secours durent avoir recours à des hélicoptères. On lançait du haut des airs des ceintures de sauvetage attachées à des câbles et on remontait les blessés que l'on transportait à l'hôpital par la voie des airs. Dans la rivière, dans l'eau glacée jusqu'à la taille car il neigeait, un homme d'âge mûr aida plus d'une douzaine de passagers en les attachant bien après les avoir réconfortés. Enfin, on lui lança sa ceinture de sauvetage, mais au lieu de s'y agripper, il glissa sous l'eau et disparut. On le retrouva noyé le lendemain matin. Il avait sauvé la vie des autres et avait perdu la sienne.

Quelle est la différence entre les jeunes qui assaillent, blessent l'autre, et cet homme dans la cinquantaine avancée qui sauve les autres au risque d'y laisser sa vie ? La seule différence, c'est l'âge : les jeunes avaient tous dix-sept ans ou moins et avaient été éduqués dans ce que les Américains appellent *the me generation* (la génération du moi) ; l'homme qui a sauvé les autres avait été éduqué dans une génération où l'autre, le prochain, comme on disait quand j'étais plus jeune, était très important et méritait même qu'on s'oublie pour lui.

C'était la génération de l'écoute de l'autre !

On pourrait alors se faire violence et faire des efforts surhumains pour tendre l'oreille malgré tout. Mais à quoi bon ?

Je n'ai pas écrit ce livre pour proposer des méthodes de relaxation mentale ou des techniques pour devenir plus réceptif. Vous trouverez d'excellents guides sur ce sujet. Ce qui m'intéresse, c'est notre attitude face à l'écoute, notre attitude face aux autres. On peut être plus ou moins réceptif, c'est compréhensible. Mais pourquoi sommes-nous portés à nous fermer aux autres ?

L'indifférence est la pire maladie des Nord-Américains, avait remarqué mère Teresa. Vous pourriez écrire ce mot avec un trait d'union : in-différence.

Chaque fois que vous entrez en relation véritable avec une autre personne, il en ressort toujours quelque chose de différent. Bonne ou mauvaise, cette personne exerce sur vous une influence qui modifie votre façon de voir, qui touche vos sentiments et vous amène à penser différemment.

L'indifférence serait-elle une crainte ou un refus d'accepter cette différence ?

Je pourrais vous poser la question autrement : N'est-ce pas la peur d'évoluer, de changer, qui nous pousse à nous protéger de l'influence des autres en leur manifestant de l'indifférence ?

On retrouve encore ici cette hantise de la sécurité dont je vous ai souvent parlé tout au long de ce livre. Ce repli sur soi et cette fermeture obstinée aux autres sont en fait un aspect de ce besoin de sécurité. Il est beaucoup moins risqué, en apparence, de couper le contact avec les autres que d'engager une relation dont l'issue est incertaine.

La majorité des gens ne vont pas jusque-là. Ils ne sont pas fermés à ce point, heureusement. Je ne prétends pas non plus qu'il n'y a pas d'influences mauvaises dont il serait bon de s'écarter. Mais si on le laisse empiéter sur nos relations avec autrui, ce phénomène d'indifférence peut compromettre une chose vitale pour notre évolution et notre bonheur : l'ouverture d'esprit.

Voilà l'expression qui fait peur : ouverture d'esprit ! En affaires, combien de fois dis-je aux participants de demander aux clients ce qu'ils apprécient beaucoup, moins ou pas du tout. Il existe tellement de vendeurs qui n'écoutent pas le client, qui parlent et qui oublient de demander ce que celui-ci désire !

C'est toujours avec beaucoup de compassion que je me rappelle ce merveilleux vendeur de Québec, M. Jean-Jacques Poirier, décédé il y a plus de dix ans. Il était né à Québec, mais avait vécu la plus grande partie de sa vie à Montréal pour se retirer à Vancouver et profiter de sa retraite bien méritée. Il était devenu le gérant de la plus importante succursale de Sun Life dans le monde, avec plus de soixante représentants. Il avait su atteindre des sommets jusque-là inégalés. Tous ses agents avaient un diplôme universitaire : le seul qui n'en avait pas, c'était *the Great J.-J.* (comme il aimait s'appeler). Il avait terminé ses études en neuvième année. Mais comme il le disait si bien : il avait fait une forte neuvième : il l'avait faite deux fois.

Un jour, je lui demandai : « Jean-Jacques, quel est ton plus important atout dans la vente ? »

Sans hésitation, il répondit : « Ce n'est ... pas ... de ma ... faute, mais je bégaie ! Et quand on bégaie, on écoute ! » Comme c'était vrai ! On était forcé de parler devant un Jean-Jacques qui écoutait avec une telle attention. Mais ce qui m'a toujours le plus impressionné chez lui, c'était cette ouverture d'esprit vis-à-vis des autres. Jean-Jacques lisait chez les autres comme dans un livre ouvert.

Au contraire de Jean-Jacques, ce qu'on ne réalise pas toujours, c'est que notre fermeture aux autres a des effets instantanés : les autres se ferment aussitôt à nous.

En revanche, l'ouverture aux autres a des effets plus lents. Elle doit surmonter des obstacles, créer un état d'esprit favorable chez l'autre personne. C'est parfois long, c'est parfois même pénible, ça finit parfois par un échec. Mais vous y puiserez toujours quelque chose de nouveau qui vous fera grandir.

Le risque d'écouter l'autre, d'accepter l'autre, c'est le risque de vivre en société.

Sommes-nous prêts à accepter ce risque ?

L'indifférence face aux clients

Il y a quelques années, une importante enquête menée aux États-Unis chercha à découvrir pourquoi les clients d'une compagnie ne lui restaient pas fidèles.

Pourquoi la clientèle ne revenait-elle plus ? Les résultats portent à réfléchir :

1 %	en raison d'un décès ;
3 %	en raison d'un déménagement ;
5 %	en raison d'un parent ou d'un ami qui entrait en concurrence ;
9 %	en raison du prix ;

14 %   en raison d'une plainte mal reçue ;

68 %   à cause de l'indifférence qu'on leur manifestait !

Dans les bilans de faillite, vous ne trouverez pourtant jamais le mot indifférence dans les colonnes de chiffres. Beaucoup de gens d'affaires, malheureusement, au-delà de leurs livres de comptabilité, sont incapables de discerner toute l'importance des relations humaines.

D'ailleurs, ces mêmes personnes parlent plus volontiers d'éduquer le consommateur, de le conditionner, comme si leur compagnie était la seule à offrir ce produit ou ce service et que l'argent était tout ce qui les intéressait.

Mes remarques semblent moralistes à plusieurs d'entre eux et peut-être à vous, chers lecteurs, mais d'un point de vue financier, qui peut prétendre sérieusement que l'indifférence est profitable à l'entreprise ?

Soixante-huit pour cent des clients perdus le sont pour cette raison précise ! N'est-ce pas suffisant pour les faire réagir ?

Et n'est-ce pas suffisant pour vous faire réagir ?

Une autre enquête, réalisée aux État-Unis, a mis le doigt sur une autre manifestation d'indifférence. Elle a révélé que, pour chaque client qui porte plainte, 26 ne le disent jamais à l'entreprise et 23 d'entre eux n'ont aucune intention d'y retourner. Et dire qu'on néglige de s'occuper des plaintes, renvoyant les clients de service en service ! Encore pire, les 26 qui ne se sont pas plaints ne se gênent pas pour raconter quel mauvais service ils ont dû subir : en fait, 3 d'entre eux le répéteront à chacune de leurs 20 connaissances, enjoignant ainsi 60 clients potentiels à ne pas acheter de cette entreprise. Les 23 autres clients non satisfaits le répéteront, eux, à chacune de leurs10 connaissances, enjoignant à leur tour 230 clients potentiels à ne pas acheter. Avez-vous fait le total des clients potentiels ainsi perdus pour une plainte reçue : un total de 317, soit 1 plaignant plus 26 qui ne le disent pas, plus 60, plus 230. Et tout cela, par indifférence ; tout cela parce qu'on a oublié de demander au client à son départ du restaurant : « Avez-vous aimé notre soupe ? Était-elle trop salée ? Les épices vous ont-elles plu ? Mais vous ne l'avez pas terminée. Quelque chose vous a déplu ? » Avec des questions aussi simples, combien de cuisiniers pourraient améliorer leur cuisine et ainsi ne pas perdre à jamais une clientèle qui ne demandait qu'à revenir bien manger !

Lettre d'un prisonnier à ses parents

Le gros problème aujourd'hui : le manque d'écoute d'autrui. Voulez-vous apprendre à écouter ? Passez quelques heures accoudé à un bar et surveillez le barman. Il ne répond que par des « Oui ! Non ! Pas de farces ! » et pendant ce temps, le client raconte sa vie. Pourquoi ? Parce que le garçon écoute.

À mon avis, il devrait y avoir un barman dans chaque famille, dans chaque compagnie, un barman à tous les coins de rue !

On devrait enseigner le métier de barman à partir de la maternelle pour que nos enfants apprennent dès leur plus jeune âge l'art de l'écoute. Et la meilleure méthode d'enseignement en matière d'écoute, c'est encore de prendre soi-même le temps d'écouter.

Malheureusement, beaucoup d'éducateurs, beaucoup de parents ont peine à le comprendre.

Dans le *Kansas City Star*, j'ai trouvé un jour ce témoignage émouvant d'un prisonnier, sous forme d'une lettre ouverte à ses parents qui l'avaient invité à revenir chez lui refaire sa vie après avoir purgé sa peine.

Chers parents,

Merci pour tout, mais je pars pour Chicago bâtir une vie nouvelle.

Vous vous demandez pourquoi j'ai fait ces choses qui vous ont causé tant de problèmes; pour moi, la réponse est facile, mais je me demande si vous allez la comprendre. Vous rappelez-vous quand j'étais petit et que je voulais que vous m'écoutiez? Vous n'aviez jamais le temps. Oh! j'étais très heureux avec toutes les belles choses que vous me donniez à Noël et pour ma fête, heureux pour une semaine environ. Mais le reste de l'année, je ne voulais pas de cadeaux, je voulais toute votre attention pour que vous m'écoutiez comme une personne qui ressent quelque chose. Mais vous étiez toujours trop occupés.

Maman, tu étais un merveilleux cordon-bleu et tu voulais tellement garder les choses bien propres et bien rangées à la maison que ça te rendait toujours trop fatiguée. Mais veux-tu savoir, j'aurais préféré des rôties et du beurre d'arachide si tu t'étais assise avec moi et m'avais dit: «Viens, raconte un peu pour voir, et peut-être que je pourrai t'aider à comprendre.»

Et quand ma sœur Louise est venue au monde, je ne pouvais comprendre pourquoi les gens faisaient tant d'éclats à son sujet. Je savais que ce n'était pas de sa faute si ses cheveux étaient si frisés, ses dents si blanches et qu'elle n'était pas obligée comme moi je l'étais de porter des lunettes avec des verres si épais. Ses notes étaient meilleures que les miennes à l'école, n'est-ce pas? Maman! Si jamais Louise a des enfants, j'espère que tu lui diras de porter attention à celui qui ne rit pas très souvent, car souvent, ce dernier pleure à l'intérieur. Dis-lui aussi que quand elle se préparera, comme tu le faisais si bien, à faire cuire six ou sept douzaines de petits gâteaux, qu'elle se demande avant si un enfant ne veut pas lui raconter un projet, un rêve... car des enfants, cela pense aussi, même s'ils n'ont pas tous les mots pour le dire.

Si vous, mes parents, m'aviez dit «Excuse-moi!» en m'interrompant, je serais tombé mort d'étonnement.

Maman, papa, si jamais quelqu'un vous demande où je suis, dites-lui que je suis parti à la recherche de quelqu'un qui a le temps, car il y a beaucoup de choses dont je voudrais parler.

Avec beaucoup d'amour pour tous,

Votre fils.

Que diriez-vous à ce fils si vous étiez son père ou sa mère ?

Vous sentez-vous suffisamment inspiré pour lui écrire une réponse imaginaire ?

On a pris l'habitude d'entendre, mais on ne sait plus écouter.

Quand on croit aimer l'autre

Il n'y a pas de façon idéale d'aimer l'autre. Une relation fondée sur l'amour n'engage pas des créatures parfaites, mais des êtres humains. À partir de là, elle est forcément imparfaite.

Mais on aurait tort de penser que la dégradation des rapports provient toujours des imperfections, des défauts de chaque personne en cause. Elle découle souvent d'une fausse conception de l'amour, d'une erreur dans la façon d'envisager la relation. Et cette erreur peut s'enraciner d'autant plus facilement qu'elle est transmise à l'échelle de la société.

Le psychologue Erich Fromm[21] affirme que l'avenir de l'humanité dépendra de la conception qu'on se fait de l'amour entre les êtres, de notre capacité à dépasser les vieux modèles de possession et de domination.

Malheureusement, certaines personnes aujourd'hui sont encore aux prises avec l'une des erreurs les plus enracinées et les plus répandues : celle de s'arroger le droit de changer la personne aimée suivant ses désirs, de la manipuler de façon à combler ses propres attentes.

À partir de ce moment, on cesse d'écouter l'autre pour l'aider et on brime l'amour qui demande à s'exprimer librement dans un sentiment partagé.

C'est le cas de ces parents, auxquels André Melançon a consacré son film *Les vrais perdants*[22], qui voulaient à tout prix transformer leur garçon en Wayne Gretzky ou leur fillette en virtuose du piano. La mère imposait une discipline inhumaine à sa fillette, l'obligeant à reprendre indéfiniment ses gammes au piano, usant de chantage affectif pour la détourner de ses vrais désirs. Le garçon voyait son père entrer dans une rage incontrôlable dès qu'une rondelle lui échappait sur la glace.

Ces enfants n'étaient plus que des jouets entre les mains de parents aveugles, mais des « jouets » qui n'étaient pas sans se rendre compte de la situation indigne qu'on leur imposait.

« Et toi ? a-t-on demandé à une fillette à la fin de ce documentaire, que vas-tu faire avec tes enfants quand tu seras grande ?

– Mes enfants ? répondit-elle catégoriquement, je vais leur poser des questions et je vais les laisser répondre. »

---

21. *L'art d'aimer*, Paris, Desclée de Brower, 1995.
22. Office national du film, 1978.

Dans sa sagesse d'enfant, elle avait saisi le fondement même de la pédagogie et l'une des premières règles de l'amour d'autrui : le laisser trouver sa réponse !

Pas la vôtre, pas la mienne, pas celle des experts en marketing, mais la sienne, celle du client.

Aimer l'autre, c'est lui laisser la responsabilité de sa propre vie, de ses propres aspirations, de ses propres désirs.

Aimer le client voudrait alors dire l'aider à satisfaire ses besoins, l'aider avec un empressement désintéressé. Pourtant, on est témoin tous les jours du contraire. À force de contrôle financier, on en arrive dans les affaires à donner une impression de mesquinerie.

C'est ainsi que j'ai décidé un samedi, il y plusieurs années, après une conférence dans l'après-midi, de revenir de Winnipeg dans la soirée, devançant mon départ qui n'était prévu que pour le lendemain. Le voyage consistait en un vol direct vers Toronto, une escale d'une heure dans cette ville, puis un vol vers Montréal où l'on atterrissait vers minuit trente. Mais l'escale dura deux heures et nous prenions l'avion à minuit trente à Toronto. J'avais faim ; j'aurais mangé la tablette. Comme à l'habitude, cependant, la jeune hôtesse s'avança et, avec gentillesse, me demanda : « Voulez-vous les biscuits ou les arachides ? » Je me demandais à moi-même pourquoi elle me faisait choisir, j'avais tellement faim, elle aurait pu me donner les deux, les biscuits et les arachides. Mais comme il me fallait choisir, j'ai choisi les arachides. Le sac contenait 21 arachides ; trois bouchées et j'avais terminé. J'osai demander un deuxième sachet. « Quoi ? Deux sacs ! Je vais voir s'il en reste après avoir fait le tour de tous les passagers », me répondit l'agente. Mon Dieu ! Ont-ils un inventaire permanent des sacs d'arachides ? Je lui demande une boisson gazeuse pour étancher ma soif. Je reçois alors un verre avec six glaçons et 20 gouttes de liquide. Comment étancher ma soif avec de la glace ? Ma foi ! Ils servent huit clients avec une canette. Pourtant, le prix du billet était d'environ 1000 $.

Cet exemple ne démontre-t-il pas un tout petit peu de mesquinerie ? Du moins, on ne peut pas dire qu'il y avait beaucoup d'amour. Voyez-vous, on compte davantage le coût des choses que la satisfaction des clients. On tente d'éduquer le client à manger et à boire avant de monter à bord de l'avion.

Educere versus educare

Vous souvenez-vous du sens que nos ancêtres latins donnaient au mot « responsabilité » ? Cela voulait dire : donner sa propre réponse, pas celle des autres.

C'est à croire que les Latins vivaient sur une autre planète quand on voit à quel point les mêmes mots sont galvaudés aujourd'hui !

La Rome antique n'était peut-être pas le paradis terrestre, et je ne choisirais sans doute pas d'y vivre. Mais ce que je trouve étrange, c'est le jeu auquel les hommes modernes se sont adonnés : il consiste à prendre un mot ancien pour lui donner un sens... contraire !

Prenons l'exemple du mot éducation.

La lecture de ce chapitre a pu vous donner l'impression que l'éducation était pour moi une chose contraire à l'amour. Mais le mot latin *educere*, qui est l'ancêtre du mot éducation, entre admirablement bien dans une vision ouverte de l'amour.

Les Latins prenaient *educere* dans le sens d'*exducere*, non pas de bourrer l'autre de connaissances, non pas de le conditionner à une façon de voir, mais de l'aider à faire sortir ce qu'il possède en lui-même, à sortir de lui-même.

N'est-ce pas une preuve d'amour ?

Cependant, les hommes modernes ont confondu le mot éducation avec un autre mot latin, *educare*, qui veut dire « s'occuper de... », « prendre soin de... », « cajoler... », *caring* en anglais. Ce qui en soi n'a rien de mal, sinon qu'il manque à cette conception deux notions vitales : la réalisation et l'affirmation de soi.

Les adultes ont plus de facilité et sont plus portés à inculquer des leçons à l'enfant qu'à l'aider à s'affirmer, à donner vraiment le meilleur de lui-même. Et le plus drôle, c'est qu'il en va souvent de même entre nous, les adultes.

Une liberté... sans amour

En lisant ce qui précède, certains parents ont dû bondir : « Donner sa réponse, s'affirmer, c'est bien beau, diront-ils. Mais on ne peut quand même pas rester les bras croisés et laisser nos enfants à eux-mêmes pour qu'ils fassent tout ce qui leur passe par la tête. »

Peut-être me suis-je mal exprimé. Je n'ai jamais proposé de « laisser l'enfant à lui-même », ni d'ailleurs de laisser qui que ce soit à lui-même, qu'il soit jeune ou adulte. Entre le fait d'engager une relation plus ouverte, plus libre avec les autres, et le fait de les laisser aller à un état d'abandon, il y a une marge.

Voilà plusieurs années, en Grande-Bretagne, une poignée de psychologues avait cru fonder une nouvelle race d'enfants sages, heureux et forts, en les élevant dans un milieu où la contrainte et l'effort n'existeraient pas.

Personne ne leur disait quoi faire et aucune exigence n'était posée à leur endroit. Ces *non-frustration children*, on les appelait ainsi, pouvaient engueuler leurs éducateurs à loisir et même s'attaquer à eux. Ils pouvaient aussi casser ce que bon leur semblait, à commencer par les vitres de l'institut, sans encourir la plus timide réprimande.

Suivis au-delà de l'âge adulte, ils s'avérèrent instables sur le plan émotif et enclins à de graves dépressions. La plupart échouèrent dans leurs études et tombèrent en état d'abandon.

On avait cru réaliser un acte d'amour à leur endroit, mais on n'avait réussi qu'à brimer davantage leur affirmation, qu'à nuire de façon très grave à leurs chances de bonheur.

Quelle image croyez-vous que ces enfants se firent du monde adulte ? Une image de laisser-aller, d'abandon, d'indifférence.

La liberté était là, oui, mais éclairée par aucune trace d'amour véritable. Elle équivalait en fin de compte à du désengagement pur et simple, à une forme d'indifférence.

Ces enfants ne savaient pas quoi faire de cette belle liberté qu'on leur offrait sur un plateau d'argent. Et dans le même sens, oserais-je dire, nos jeunes d'aujourd'hui se trouvent parfois démunis devant toutes les libertés qu'on leur a laissées : celles d'étudier, de disposer de leur vie comme bon leur semble, de profiter de ressources qui nous auraient paru inconcevables au temps de notre jeunesse, de croire que tout est gratuit, que tout leur est dû.

Comment se fait-il que, dans une société en pleine évolution, tant de ces jeunes se retrouvent dans le cercle vicieux de l'aide sociale ?

Comment se fait-il que l'Amérique du Nord, terre de richesses, soit la championne en matière de drogues avec 95 % de la consommation mondiale ?

La question est très large, je n'en ai pas la réponse complète. Mais n'avons-nous pas cédé à un certain laisser-aller ces dernières années ? N'avons-nous pas laissé une vision arbitraire et immature de la liberté compromettre notre engagement vis-à-vis de ceux que nous aimons ?

Dans cette perspective, la liberté n'est plus une liberté, mais un simple vide. Un vide quant aux valeurs, aux lignes de conduite, aux émotions et à tout ce qui incite à regarder la vie dans une optique d'espoir et de responsabilité.

La plus belle preuve d'amour que vous pourriez manifester à l'égard d'autrui, c'est de l'aider à combler ce vide, non pas tellement en lui enseignant votre façon de voir ni en cherchant à l'éduquer, mais surtout par votre exemple même.

Tom Peters[23] avait l'habitude de répéter que les gens ne surveillent pas que vos livres, ils suivent surtout vos pas. Si nous, les adultes, croyons que tout nous est dû, les jeunes qui nous suivent croiront la même chose. Et alors, tout le monde parlera de ses droits !

Prêcher par l'exemple, c'est encore l'une des plus belles leçons de la Bible.

L'utopie du grand partage

J'ai pu donner l'impression d'être moraliste dans certains passages de ce livre. Après tout, une morale finit toujours par se dégager d'une réflexion, à plus forte raison quand on réfléchit sur l'être humain, ses possibilités, ses côtés ridicules et ses côtés merveilleux. Mais ce que je vais dire maintenant me fera sans doute passer pour immoral aux yeux de certains.

Le constat rapide que je viens de dresser n'est pas tendre à l'endroit de notre société. Pourtant, ce qui me rend perplexe, c'est de voir qu'à travers tous ces problèmes, une vieille valeur morale a survécu : le partage.

Vous allez dire : « C'est merveilleux ! » Mais cette valeur n'a pas seulement survécu, elle s'est pratiquement généralisée au

---

23. Tom Peters a beaucoup écrit sur les pratiques du management.

point qu'on peut se demander si le partage n'est pas en train de devenir un obstacle à l'épanouissement de l'individu.

Le petit catéchisme nous a longuement vanté les mérites du partage. Qui n'a pas déjà été sermonné dans son enfance pour avoir refusé de partager avec ses camarades ? Sans aucun doute possible, le partage est une belle valeur humaine. Je m'efforce pourtant d'imaginer un monde qui aurait le partage pour fondement premier, et ce monde me paraît tout de suite inconcevable.

Le catéchisme prétendait encore que ce partage était un gage d'amour envers autrui. Mais l'on doit à Saint-Exupéry, qui n'en était pas moins un chrétien convaincu, cette réflexion incendiaire sur le sujet :

Donne du pain à des hommes
et ils chercheront la guerre.

Fais-leur construire une tour
et ils chercheront la paix.

Je ne vois pas de guerre civile poindre à l'horizon au Canada, mais, pour paraphraser Saint-Exupéry, nos « boulangeries » n'en connaissent pas moins une formidable expansion ! On vend le pain à prix d'aubaine. C'est une image !

Les Canadiens comptent parmi les peuples les plus imposés et les plus taxés de la planète. Ces ressources sont partagées entre les minorités de toutes sortes dont le nombre et la variété n'ont pas cessé d'augmenter depuis quelques années.

Le partage n'est plus seulement un fait, mais une véritable mentalité. Et curieusement, ce grand partage dans lequel nous sommes engagés, vous, moi et les autres, au lieu d'aider les gens, semble plutôt les enfoncer plus que jamais dans la dépendance.

Oui, partager est une belle chose. Mais faire du partage un principe de vie, c'est bafouer la vie dans sa nature même, qui est de créer, de grandir, d'évoluer, de se tailler une place, un avenir. À vouloir trop partager, on ne suscite plus ce dynamisme vital : on gruge les ressources, on tarit la source.

Le fondateur de la compagnie Apple Computer laissait aux finissants de l'Université Stanford, en juin 2005, ce mot d'ordre : « *Stay hungry ! Stay foolish !* » (Demeure affamé ! Demeure fou, irrationnel !) Il insistait alors justement sur ce dynamisme qui force l'humain à mordre à pleines dents dans la vie, comme dans une pomme (le sigle de la compagnie Apple). C'est là l'inverse de se contenter ! C'est l'inverse d'attendre qu'on te vienne en aide. C'est, comme le disaient nos ancêtres, prendre le taureau par les cornes et foncer !

Comme le disait si bien G. K. Chesterton, cet écrivain et journaliste anglais : « Si j'étais Dieu, occupé à concevoir une autre planète, je ferais un monde où l'on donne et reçoit plutôt qu'un monde où l'on partage. L'utopie du partage aura engendré les misères et les prisons, soulevé des mythes incapacitants. Et c'est vers les pays où l'on donne et reçoit que les hommes privés de pain, de liberté et de dignité auront toujours cherché refuge, nulle part ailleurs. C'est encore pourquoi j'ose dire que j'aime l'Amérique. » Peut-on alors en vouloir un peu à ceux qui ne pensent qu'à toujours réclamer ?

Cette citation vous indigne-t-elle, comme elle en indignera sans doute certains ?

En réalité, elle exprime tout simplement une vérité de La Palice. Une société où les gens n'apprennent plus à donner et à recevoir, à vivre les uns les autres dans une relation d'échange, en est une d'aliénation et de dépendance. Et cela, même en affaires !

En effet, on a vraiment souvent l'impression qu'il s'agit en affaires de recevoir le plus possible mais de donner le moins possible. On ne réalise pas que le but d'être en affaires est avant tout de rendre service et que les profits viendront par la suite. C'est d'ailleurs ce qu'exprimait en termes simples M. Stanley Marcus, ex-président du conseil de la compagnie Niman-Marcus, une chaîne de magasins renommés pour leurs marchandises de grande classe. Quand on lui a demandé quelle était la recette de son succès, il a répondu : « Les Dayton (les anciens propriétaires, qui étaient de Minneapolis) avaient pour principe que le profit n'était pas l'objectif de la compagnie. Ce dernier consiste à fournir un service ou un produit d'une valeur telle que les gens soient prêts à vous payer un profit pour l'obtenir. Cela vous semble peut-être de la sémantique, jusqu'à ce qu'on ait vraiment commencé à l'appliquer, et alors cela fait un monde de différence. J'ai découvert que lorsque je prenais très bien soin de mes clients et faisais d'eux le point de mire de mon activité, les profits, inévitablement, en découlaient. »

Mais donner ainsi implique qu'on n'a pas un droit à la survie dans les entreprises ou même dans la vie. Le mot « partage » implique un droit : j'ai droit à l'assurance-emploi, j'ai droit à l'aide sociale, j'ai droit à des indemnisations après un accident de travail, j'ai droit à la subvention aux petites entreprises. Qui a dit que la vie était un droit ? La vie, comme le disait bien Dieu dans la citation de Chesterton, c'est donner et recevoir.

Mais ce n'est pas le partage qui pousse les gens à s'affirmer et à devenir responsables d'eux-mêmes. C'est ce que les Américains appellent le *struggle for life* (la lutte pour la vie).

Ce n'est pas le partage qui motive à se dépasser, à se réaliser. C'est l'amour qui pousse à agir ; on dit d'ailleurs que l'amour donne des ailes, et cela, même en affaires.

On ne se dépasse jamais dans un environnement de partage : on se dépasse dans un environnement d'amour ou, comme le disent si bien les Américains, un environnement de *give and take*. La peur de perdre ne fait qu'une société accrochée à sa sécurité.

Le désir d'être respecté, apprécié, d'être aimé pousse les gens, et donc la société, à se dépasser.

Je ne voudrais pas cependant minimiser l'effet de la peur comme facteur de motivation. C'est ainsi qu'on raconte qu'un jour, un milliardaire américain, voyant sa fille hésiter entre une vingtaine de prétendants, décide de prendre les choses en main. Il les convoque tous à sa spacieuse demeure, et les alignant en maillot de bain le long de sa piscine olympique, leur tient le discours suivant : « J'ai fait mettre dans la piscine cinq crocodiles de six pieds, tous en pleine forme. Je vous propose le test suivant : le premier qui réussira à nager la longueur de la piscine et qui en sortira indemne aura, en plus de la main de ma fille, soit cinq millions de dollars, soit mon île privée dans les Bahamas. »

Il n'a pas aussitôt prononcé le mot Bahamas que l'un des prétendants se jette à l'eau et, avec l'énergie du diable, traverse la piscine sans reprendre son souffle. À sa sortie, le père est là le félicitant de son courage et de sa détermination pour avoir osé sauter sans aucune hésitation.

« Vous avez la main de ma fille, dit-il à ce prétendant audacieux.

– Je ne la veux pas, merci, répond le nageur.

– Vous prendrez au moins l'île dans les Bahamas ?

– Je n'en veux pas non plus.

– C'est alors l'argent qui vous intéresse, les cinq millions de dollars ?

– Merci ! Je n'en n'ai rien à foutre !

– Mais que désirez-vous alors ?

–Je désire connaître le nom de celui qui m'a jeté dans la piscine ! »

On ne peut nier le fait que notre bonhomme, motivé par la peur des crocodiles, n'a pas poussé loin ses capacités de nageur. Son style laissait à désirer et cela ne fera jamais de lui un champion olympique. Les champions sont motivés par les gens qui leur disent « Vas-y ! T'es capable », par les gens qui les aiment.

Gagner sa vie

Dans mes clapiers, à la ferme, la naissance des petits lapins posait toujours un délicat problème.

Les mères n'avaient en effet que huit tétines à offrir. Et l'on se retrouvait toujours avec un excédent de lapins qui avaient eu la mauvaise idée de naître en même temps que les huit premiers ! Tout frais sortis du ventre maternel, les malheureux avaient à peine quelques centimètres de longueur. Ils étaient sourds et aveugles. On ne pouvait quand même pas les nourrir au biberon.

Ils étaient condamnés à mourir. C'est triste, pensez-vous ? Mais devant ce neuvième lapin pour lequel il n'y avait pas de tétine, si la mère avait eu le don de la parole, je suis convaincu qu'elle lui aurait plutôt dit : « Cherche-toi une tétine, et vite ! »

La situation des jeunes d'aujourd'hui et celle de plusieurs adultes me font un peu songer à celle de mes lapins, à cette différence près que personne n'est condamné à mourir par manque de tétine.

Mais chacun de nous a besoin d'une « tétine » ! Chacun de nous a besoin de faire son chemin, de trouver sa voie. De trouver comment il doit rendre service à la société.

Face à l'existence, nous sommes tous des « neuvièmes lapins » !

Et nous sommes toute une génération à avoir peur, peur de dire « Cherche-toi une tétine ! » aux générations qui nous suivent.

Dans le langage familier, nous avons pourtant une expression merveilleuse qui persiste, une expression propre à la langue française : gagner sa vie. On ne réalise pas que derrière cette expression, il y a aussi l'idée de « perdre sa vie » et, malheureusement, chacun d'entre nous est seul à pouvoir réaliser l'un ou l'autre. On est aussi le seul dans son for intérieur à réaliser qu'il faudra donner pour gagner : on ne gagne rien sans efforts ; cela s'appelle le « travail ». Comme le disait si souvent ma mère quand j'étais tout petit : «*There is no free lunch* ! » (Il n'y a pas de repas gratuit !)

D'ailleurs, ce principe de gagner sa croûte n'est pas nouveau. Saint Paul, dans un de ses épîtres aux Thessaloniciens, disait : « Frères, au nom du Seigneur Jésus-Christ, nous vous ordonnons d'éviter tous ceux d'entre vous qui vivent dans l'oisiveté et ne suivent pas la tradition que vous avez reçue de nous. Car vous savez bien, vous, ce qu'il faut faire pour nous imiter. Nous n'avons pas été reçus parmi vous dans l'oisiveté, et le pain que nous avons mangé, nous n'avons demandé à personne de nous en faire cadeau ; au contraire, dans la fatigue et la peine, nuit et jour, nous avons travaillé pour n'être à la charge d'aucun d'entre vous. Bien sûr, nous en aurions le droit, mais nous avons voulu être pour vous un modèle à imiter. Et quand nous étions chez vous, nous vous donnions cette consigne : si quelqu'un ne veut pas travailler, qu'il ne mange pas non plus... » Ce texte nous surprend ! Il dit pourtant tout simplement que chacun de nous doit gagner sa vie, c'est-à-dire faire l'effort, donner de soi. C'est ce que saint Paul appelle le travail.

Combien sommes-nous encore à en connaître le vrai sens ? C'est-à-dire bâtir de ses mains ses propres conditions d'existence, donner de sa propre personne pour recevoir le meilleur de la vie en retour.

Vous ne pouvez pas faire à la place de l'autre ce que lui seul est à même de faire : définir sa propre existence, prendre sa place au soleil.

Mais vous pouvez donner l'exemple de vos sentiments. L'exemple de votre engagement face à la vie.

Vous pouvez l'aider, l'aimer assez pour que lui, l'autre, réussisse sa vie.

Chapitre 7
S'engager

J'ai rencontré un jour un homme de mon âge qui avait la nostalgie du bon vieux temps des curés de campagne. Personnellement, je ne regrette pas cette époque. Mon père était d'ailleurs un gars de la ville. Je n'ai pas grandi sur une ferme. J'aime à me considérer comme un homme moderne et je prends au pied de la lettre l'expression « avancer en âge ». Je ne recule pas en vieillissant et je n'ai pas non plus les yeux braqués sur mon rétroviseur, même si la nostalgie d'hier me reprend.

Mais toujours est-il qu'en 1935, le père de cet homme était venu s'installer à La Reine, un petit village d'Abitibi, avec une famille à nourrir et presque rien en poche. La terre qu'il venait d'acquérir était couverte d'un bois touffu. Pendant les deux premières semaines, alors qu'il arrachait à ce boisé de quoi fabriquer une cabane, la famille campa dans une installation de fortune. Puis commencèrent le grand défrichage et les labours.

Des années plus tard, après avoir roulé sa bosse ailleurs au Québec, l'homme revint sur la terre paternelle. Le père, déjà très âgé, lui montra la nouvelle grange qu'il venait de construire. Ses yeux brillaient de fierté. Il lui montra ensuite les bêtes, les autres installations, les cultures et tout ce qu'il avait pu tirer de ce paysage autrefois hostile.

Puis le temps passa, le père mourut de sa belle mort et... la ferme fut vendue.

« Dimanche dernier, me confia l'homme, j'y suis retourné pour voir ce qui était arrivé à la terre. Et ça m'a crevé le cœur... »

Plus de grange.

Les nouveaux propriétaires l'avaient détruite pour en brûler les morceaux.

Plus de culture.

La forêt avait regagné tout le terrain défriché, la terre était retombée en friche.

« On l'avait achetée au cas où ça marcherait, expliquèrent les nouveaux propriétaires. Mais ça ne marche pas. La terre n'est plus bonne. Elle est finie. »

Pourtant, cette terre dont ils parlaient avait fait vivre une famille de dix-sept personnes. Et quand le père était venu y installer ses pénates, il n'y avait rien. Comment lui-même avait-il pu en tirer ces choses splendides alors que, découragés et insouciants, ces gens-là n'avaient pas même su perpétuer son héritage ?

Le confort et l'indifférence

Nous avons accompli d'énormes progrès depuis l'époque où ce fermier labourait sa terre en Abitibi. Ce qu'il a fait en quelques années, nos tracteurs et nos engins sophistiqués pourraient le faire en moins de quelques semaines. Mais je parle seulement de nos progrès techniques. Je serais curieux de voir la réaction d'un gars d'aujourd'hui si on lui mettait tout à coup la hache dans la main en lui disant : « Voilà ton outil de travail et voilà quinze bouches à nourrir, débrouille-toi ! »

Mais une nouvelle époque apporte aussi un autre niveau de vie. Notre bonhomme ne voudrait sans doute pas renoncer au confort et aux facilités de la vie moderne. D'ailleurs, pourquoi le ferait-il ?

C'est la question qui pend aux lèvres de beaucoup de gens aujourd'hui : « Pourquoi s'en donner la peine ? » L'ordinateur et les inventions électroniques sont là pour nous libérer des tâches pénibles de la vie quotidienne. Le gouvernement est là pour nous soulager de la misère en cas de chômage. Et si, par malheur, un problème quelconque n'a toujours pas de solution technique, on vit dans l'espoir qu'un nouveau gadget ou une nouvelle formule scientifique viendra, encore une fois, nous dispenser de fournir nous-mêmes l'effort nécessaire. Et cela même pour sa propre santé.

On cherche la pilule miracle qui nous fera perdre nos dix kilos de trop. Pourtant, comme le dit M. Covert Bailey, auteur de la vidéo *Fit or Fat for the 90's* : « Je suis exaspéré par ces gens qui disent que les diététistes et les médias ne connaissent rien à la diète. On en connaît tellement. Tous les diététistes de la terre nous disent qu'il n'y a que deux choses à savoir. Une, faire de l'exercice régulièrement. Deux, faire attention aux quatre règles d'une bonne diète : manger moins de gras, moins de sucre, plus de fibres et une nourriture variée. Mais encore faut-il le faire ! On aimerait mieux une pilule. Si un jour on réussissait à formuler l'exercice physique dans une pilule, ce serait la pilule la plus prescrite au monde, car elle éliminerait l'effort. On a bâti une société où l'effort est à proscrire. »

Pendant ce temps, la jeunesse québécoise et la jeunesse nord-américaine en général regardent la génération adulte en se disant :

« Ça doit être ça, la vie. C'est probablement le genre de vie qu'ils voudraient nous voir vivre. » Alors, nos jeunes travaillent à améliorer leur niveau de vie. Ils s'inscrivent à l'université pour décrocher le diplôme qui les hissera à un échelon salarial intéressant et leur permettra de jouir de tout le confort imaginable. On ne devient pas professionnel pour aider l'autre : on le devient pour moins travailler. Et cela, malheureusement, dans de nombreux cas.

Ceux qui n'y parviennent pas soit par malchance, soit parce qu'ils sont issus d'un milieu trop pauvre essaient de suivre eux aussi la loi du moindre effort en courant après l'assurance-emploi ou l'aide sociale !

C'es ainsi que dans le journal *La Presse* du 4 mars 2004, Louise Leduc titrait son article : « Du bricolage pour assistés sociaux ! » Il y était question d'un programme qui chercherait à briser l'isolement des assistés sociaux de longue date. Cependant, une dame Croteau n'en croyait pas ses yeux en lisant l'annonce du programme, elle qui était en recherche d'emploi après avoir perdu deux emplois successifs, vécu une rupture et connu de graves problèmes de santé. Voici ce que l'annonce disait : « Des heures et des heures de plaisir, c'est juré ! On fera du bricolage – des porte-clefs, par exemple – et on apprendra à faire de la pizza sur pain pita. On ira peut-être jouer aux quilles, on fera une visite du quartier en autobus scolaire et une sortie au Jardin botanique. »

Comment réagissez-vous à la lecture de cette annonce ? Comme Mme Croteau qui disait au ministre responsable : « Confiez-nous l'argent attribué à la location d'allées de bowling et d'autobus jaunes, au salaire de chauffeurs et d'animatrices et à l'achat de billets d'autobus, de beignes et de matériaux de bricolage. Vous verrez de quelles enjambées nous sommes capables quand on nous donne les moyens de sortir de notre isolement. »

Peut-être que la meilleure façon de briser l'isolement, c'est de chercher un emploi, de devenir responsable de sa vie.

Depuis des millénaires, la jeunesse d'une société a toujours représenté une force dynamique, une force de changement. À différents moments de l'histoire, elle a fait progresser le monde. Les plus grandes découvertes scientifiques sont dues à des hommes et à des femmes qui n'avaient pas encore franchi le cap des trente ans ! Les plus grandes révolutions dans le monde des arts sont dues à des artistes qui sortaient à peine des écoles.

Mais aujourd'hui, les classes se prolongent souvent jusqu'à trente ans et même au-delà... Nos jeunes sont plus instruits qu'ils ne l'ont jamais été. La tête est surdéveloppée.

Mais qu'en est-il du cœur ?

L'exemple d'un monde vieillissant, avachi dans le confort de la vie moderne, obsédé par la sécurité, n'est-il pas en train d'étouffer leur élan vital ?

Ne trouvez-vous pas étrange que ces jeunes, plus instruits que jamais, soient plus que jamais attirés par la sécurité ? Par la dépendance par rapport au gouvernement, aux parents, à l'aide sociale ?

Combien de milliers de ces jeunes étudiants, au printemps 2005, se sont promenés dans les rues, brandissant leurs pancartes. Ils réclamaient que l'on continue à leur payer leurs frais de cours et de séjour comme on l'a fait depuis de nombreuses années. Il était à l'époque inconcevable que l'on termine son cours avec des 10 000 $, 20 000 $ ou 30 000 $ de dettes. Certains étudiants allaient même jusqu'à se demander s'il valait la peine de terminer leurs études et d'obtenir leur diplôme dans ces conditions. Mais qui a dit que les études seraient gratuites, ou presque ? Que c'était un droit acquis inaliénable ? Aurions-nous trop gâté nos jeunes ?

La grande leçon du passé

À l'époque de nos arrière-grands-parents, les jeunes, et les gens en général, n'étaient pas aussi instruits que la jeunesse actuelle. Beaucoup d'entre eux ne savaient pas lire et la plupart étaient laissés complètement à eux-mêmes avec leurs deux mains nues pour seule ressource.

Bien sûr, c'était la misère, l'ignorance et la lutte continuelle pour arracher à la terre de quoi survivre. Mais il n'y avait pas de béquilles à cette époque, aucun moyen d'échapper à l'effort, de fuir ses responsabilités.

La notion de qualité de vie, si courante de nos jours, leur était tout à fait inconnue. Ils prenaient le mot « qualité » dans son usage authentique en parlant d'objets manufacturés, de meubles, de nourriture. Mais ils n'auraient jamais cru un seul instant qu'on puisse considérer la vie elle-même comme une « chose fabriquée», une « chose artificielle ».

Ils ne se tordaient pas en explications et en études de toutes sortes. Ils ne réclamaient pas de garanties avant de passer aux actes, avant de prendre la hache et de couper les arbres, de labourer la terre et de bâtir un abri pour leur famille. La vie était pleine d'incertitudes, comme aujourd'hui, à cette différence près qu'à cette époque les gens ne se faisaient pas d'illusions sur leur sécurité.

À leurs yeux, vivre était le fruit d'un engagement. On s'engageait face à la vie pour le meilleur et pour le pire. Leur engagement naissait d'un sentiment. C'était un engagement branché sur le cœur, pas sur la tête.

À travers mes voyages dans ce grand Canada, on me demande souvent ce que je pense des problèmes politiques qui divisent des millions de Canadiens. Je leur parle alors de l'engagement. Un pays, ce sont des gens engagés à bâtir une génération meilleure que la précédente, à pousser plus loin le désir de faire quelque chose, et cela coûte que coûte.

Mais au contraire, il semble qu'à l'heure actuelle des millions de Canadiens essaient de s'engager avec la tête comme ces gens qui achetèrent la terre du vieil homme en Abitibi. Ils rationalisent, s'imaginant que l'engagement doit être réfléchi, raisonné, calculé. Et finalement, ça ne marche pas. Ça ne marche jamais. À la moindre difficulté, tout s'écroule. Le cœur n'y est pas. Il faudra réapprendre à y mettre du cœur. J'admire ces gens qui se lancent en affaires avec leur petit bagage de connaissances, avec un compte bancaire ridicule, mais qui y mettent leur cœur, leurs tripes.

* * *

C'est le cas de Raymond Wechter, le fondateur de Raymond Lumber, qui lança son entreprise avec une petite cabane au milieu d'un terrain vacant et une voiture familiale. Le jour, pendant qu'il faisait le tour des chantiers pour vendre son bois de finition, son épouse s'occupait du téléphone et répondait à tous les appels. Lui, au moment d'une commande, demandait au client où il voulait que le bois soit placé, car son camion passerait peut-être tôt le lendemain matin, et personne ne serait au chantier. Mais en fait, c'était lui, le livreur qui, avec sa familiale, acheminait les commandes le soir et la nuit. À deux, son épouse et lui, ils ont bâti une entreprise florissante. La recette de leur succès ? La volonté d'y consacrer tous les efforts nécessaires, le désir d'y mettre tout leur cœur.

J'ai toujours été fasciné par les animaux, et par les chiens en particulier. Ce qui m'impressionne chez eux, c'est leur fidélité sans compromis, absolument totale. On prétend même que les chiens d'aveugle, pourtant bien entraînés, ne peuvent plus servir à aucun autre aveugle une fois leur maître décédé. Et, d'une façon générale, le chien qui a perdu son maître se laisse dépérir et refuse de manger jusqu'à ce que mort s'ensuive. Son engagement est total.

Au contraire de l'humain, les chiens n'ont pas de tête, mais beaucoup de cœur !

Beaucoup de nos arrière-grands-parents menaient une « vie de chien », ce que je ne souhaite à personne. Mais mener une vie dans laquelle on n'est pas véritablement engagé, n'est-ce pas ce qu'on peut souhaiter de pire à un humain ?

Joseph-Armand Bombardier, le rêveur acharné

L'engagement apporte à votre vie un sentiment inexplicable, un sentiment qui n'est autre chose que la détermination. Votre engagement face à la vie est un engagement à réussir votre vie.

Mais les gens en général choisissent l'attitude contraire. L'humain a commis l'erreur d'abuser des explications. Il a cherché une explication à tous ses comportements, et même à sa vie ! Et comme ce besoin s'est élargi, une foule de spécialistes ont envahi son quotidien pour y répondre : médecins, psychologues, psychiatres, conseillers, orienteurs. Le corps professionnel au grand complet !

« À force de devoir compter sur les spécialistes et les corps intermédiaires, écrivait Jean-Paul Desbiens à ce propos, on se retrouve infirme, aliéné, entièrement remis entre les mains des autres ![24] » Ce n'est plus ma maladie, mais celles des spécialistes. On devient tous de beaux cas !

Dans ce contexte, le sentiment de la détermination s'est dégradé chez plusieurs d'entre eux. Ils en sont venus à croire que ce n'est pas l'humain qui détermine les événements de sa vie,

---

24. Revue *RDN* (Notre-Dame), avril 1999.

mais les événements qui, au contraire, déterminent l'humain, le poussent à agir dans un sens ou dans un autre, le conditionnent, etc.

Voyez le père de famille revenir à la maison le soir après le travail. Il donne un de ces coups de pied au chien ! Le chien ne sait pas pourquoi il reçoit cette punition : il n'a fait qu'une erreur, soit être passé par là vers les cinq heures trente. Il aurait dû aller jouer plus loin. Mais pourquoi avoir frappé le chien ? Parce que la journée a été moche, une journée à se laisser vivre, en attendant la date de la mise à la retraite.

Ces gens trouveront le moyen de vous dire : « Tu n'étais pas responsable. C'est une poussée d'adrénaline qui t'a monté au cerveau et il fallait que tu te décharges sur ce chien. Tu étais tellement frustré ! »

C'est la bonne vieille farce de la poule avant l'œuf ou de l'œuf avant la poule : l'adrénaline avant l'idée de frapper, ou l'idée de tuer un chien avant l'adrénaline ?

Le problème est sans solution. Vos gestes, vos actions vous ramènent à l'irrationnel.

Mais la différence, c'est que ces gens ont choisi de rationaliser, d'expliquer, de faire dépendre leurs actes et même leur vie en général d'une explication rationnelle.

Ils vont vous dire : « La détermination, c'est bien beau. Mais déterminer quoi ? Qui détermine vraiment ce qui arrive ? » Personne ! Je suis à la merci du patron.

À partir de là, c'est très simple : ils ne déterminent plus rien, ce sont les choses qui se chargent de les déterminer. La vie les charrie.

Nos arrière-grands-parents ne s'embarrassaient pas avec ces problèmes de poule avant l'œuf ou d'œuf avant la poule.

Quand quelqu'un frappait un os et se retrouvait dans la misère, ils avaient coutume de dire : « Il l'a bien cherché ! Il l'a voulu ! ». Il n'a qu'à se prendre en main et recommencer ! On ne blâmait pas l'Univers !

Autrefois, quand on voulait quelque chose, on luttait pour l'obtenir, point final. Le raisonnement s'arrêtait là. Tu veux une terre ? Tu en défriches une, tu ne cherches pas une subvention !

Joseph-Armand Bombardier voulait un engin capable de rouler sur la neige. Il n'est pas passé par le ministère de l'Industrie et du Commerce. Des ingénieurs avant lui avaient déjà échoué dans cette tentative.

Bombardier, lui, n'était qu'un simple garagiste. Il commença par recycler de vieilles carrosseries de voitures Ford en les montant sur des skis. Plus tard, il essaya avec des carlingues d'avion en raison de leur plus grande légèreté. Mais les engins en question s'avérèrent si légers qu'ils s'envolèrent dans le décor au premier banc de neige ! Une passion qui forçait les événements.

Il revint alors aux carrosseries de voiture en améliorant son système de skis et de chenilles. Comme ce n'était pas encore suffisant, la carrosserie étant décidément trop lourde, il demanda à un menuisier de lui en fabriquer une sur mesure en bois.

Et il continua sur cette lancée avec acharnement.

De la première tentative jusqu'à l'invention de son chef-d'œuvre, le célèbre Ski-Doo, une trentaine d'années s'étaient écoulées. Trente ans ! Ce chiffre donnerait le vertige à beaucoup de gens aujourd'hui. Attends dans trente ans... Armand Bombardier a mis toute sa passion à inventer une motoneige ! On l'a d'ailleurs vu dans une minisérie à la télévision, il y a quelques années[25]. Je me souviens des réflexions que je me suis faites après l'avoir vu. Pour moi, Joseph-Armand Bombardier,

---

25. 1992.

c'était le symbole du gagnant. Il ne gagnait pas contre les autres, il gagnait sur lui, il allait plus loin à chaque prototype au point d'en rire avec sa femme lorsque l'un de ses modèles resta pris dans la neige et cessa d'avancer.

Il est curieux que, de nos jours, dans la tête de bien des gens, gagner soit toujours en fonction des autres. Pourquoi gagner implique-t-il toujours un partenaire qui perd? Une professeure de l'université du Texas, Dr Betty Sue Flowers, avait fait cette remarque : « Dans cette culture, on a toujours besoin d'un ennemi pour définir qui nous sommes. » En affaires, je me suis souvent aperçu que le plaisir que l'on ressent à réussir n'est pas causé par le fait de gagner mais bien par celui de voir l'autre perdre. « Le plaisir de l'un, c'est de voir l'autre se casser le cou », comme le disait si bien Félix Leclerc. Quelle excitation quand on sait que non seulement on gagne une bonne part du marché, mais surtout que l'autre est en train de perdre sa chemise.

Gagner, pour moi, c'est quoi dans ce contexte? Pour Joseph-Armand Bombardier, c'était quoi? C'était, à mon avis, de réussir à faire une motoneige qui dépasserait ses espérances. Réussir, gagner, c'est faire un travail de façon parfaite ; gagner, c'est une question de sentiment : c'est plus comment tu te sens par rapport à quelque chose que la chose elle-même. Gagner, c'est vouloir fabriquer le produit, l'entourer d'un service tel que l'ensemble frise la perfection.

C'est le défi que le président de la compagnie d'automobiles Nissan avait lancé à ses ingénieurs : réaliser l'automobile parfaite. Et pour cela et avec cela, il avait poussé son équipe à produire l'automobile Infiniti qui n'est pas parfaite mais qui allait plus loin sur le chemin de la perfection. Puis Toyota s'est mise de la partie et elle aussi a voulu créer l'auto parfaite. Elle a créé la Lexus, pas parfaite, mais un cran plus haut sur l'échelle de la qualité.

Tout est perfectible. C'est ce qui explique qu'il y ait toujours le défi de faire mieux, de gagner ! Mais il faut de la détermination.

Le mot « détermination » est une expression vide de sens pour beaucoup d'entre nous. Comment expliquer autrement le phénomène Bombardier ? Par une poussée d'adrénaline, peut-être ? Par les événements ?

Les deux pieds à la même place !

J'ai appris un jour, de la bouche d'un pêcheur, un autre principe de l'engagement qui est en fait sa définition même.

Le pêcheur était sur le point de lever les amarres à L'Anse-à-Beaufils. Insouciant, moi, je me balançais de gauche à droite, un pied dans l'embarcation et l'autre sur le quai, en attendant ma fille qui était partie chercher son chandail dans l'auto. Tout à coup, le bonhomme s'est tourné vers moi, amusé, mais un peu perplexe :

« Ça me fait rien, m'sieur, lança-t-il avec son accent de Gaspésien, mais vous feriez mieux de mettre les deux pieds à la même place. Parce que tantôt, ça va s'écarquiller et vous allez frapper l'eau par le milieu ! »

Sa remarque m'avait amusé. En effet, c'était ridicule. J'ai jeté un coup d'œil à l'eau qui clapotait entre le quai et l'embarcation et j'ai sauté à bord aussitôt.

Mais cet incident m'a fait réfléchir.

S'accrocher au quai, faire pendre un pied hésitant dans l'embarcation, n'est-ce pas en quelque sorte le symbole d'une attitude courante aujourd'hui ?

Il y a quelques années, mon fils rêvait de devenir vétérinaire, rêve qui ne s'est jamais matérialisé. Sur son formulaire d'inscription à l'université, on lui demandait d'inscrire trois choix :

« P'pa, je ne sais pas quoi choisir comme deuxième et troisième choix...

– Comment ? Tu ne veux plus devenir vétérinaire ?

– Oui, mais au cas où ça marcherait pas, il faut faire un deuxième et un troisième choix...

Je suis resté stupéfait.

– Bon, lui ai-je dit, c'est bien simple. On va régler ça : 1er choix, vétérinaire ; 2e choix, vétérinaire ; et 3e choix, vétérinaire. »

Quand vous entrez dans un bureau de scrutin, le jour d'une élection, on ne vous demande pas d'inscrire trois choix sur votre bulletin de vote. Vous ne votez pas à moitié, aux trois quarts ou aux deux tiers pour Untel ou Untel ; vous votez à 100 % pour lui et lui seul !

Mais la société d'aujourd'hui nous offre quantité de possibilités qui deviennent des échappatoires, des possibilités qui nous incitent à garder un pied sur le quai et un autre dans le bateau, des incitatifs pour retarder la prise de décision. On se ménage des portes de sortie et on hésite constamment à embarquer à plein dans quelque chose.

Aujourd'hui, à l'école, on incite ces mêmes jeunes à étudier dans plusieurs secteurs, même si ceux-ci ne les intéressent pas, sous prétexte que « ça met plusieurs cordes à leur arc ».

Mais avez-vous déjà essayé de tirer avec un arc à plusieurs cordes ?

C'est merveilleux d'être polyvalent, c'est magnifique de s'intéresser à plusieurs choses. Mais cette attitude aujourd'hui est souvent un prétexte pour ne pas embarquer à 100 %, un prétexte pour se désengager, pour excuser l'inaction.

On devient facilement des dilettantes !

«Mon beau Lionel...»

Je me souviendrai toujours d'un vieux copain du collège classique. Il s'appelait Lionel. C'était un élève dissipé, on pourrait presque dire un marginal, qui avait une grande joie de vivre.

Lionel passait le plus clair de son temps à courir les jupons. Quand il rentrait en classe le matin, le professeur de mathématiques, M. Girard, un Français à l'accent un peu pincé, le regardait avec un sourire et lui servait sa plaisanterie habituelle : « Mon beau Lionel, de quelle catin t'as sucé les oreilles hier soir ? » Et la classe se tordait de rire.

Mais Lionel voulait devenir médecin. Et, bien sûr, ses mauvaises notes lui avaient valu un refus catégorique dans toutes les universités de la province.

Vous savez ce qu'il a fait, le beau Lionel ? Il a fait ses bagages et il est parti en Europe à la recherche d'une école de médecine qui voudrait bien de lui. Après avoir roulé sa bosse, il s'est finalement retrouvé à Lille, en France. Il y a étudié la médecine pour revenir ensuite décrocher son diplôme de médecin à Montréal.

Lionel ne s'était pas donné trois choix. Il n'avait pas gardé un pied sur le quai et un autre dans le bateau. Il avait embarqué à 100 % dans son rêve d'être médecin.

Et vous-même ? Avez-vous lâché le quai ?

La vie continue, que faites-vous ?

J'y vais un peu fort, pensez-vous. Je suis peut-être trop radical ? En réalité, je ne suis pas trop radical ; je *suis* radical. Je ne peux pas m'imaginer discutant de vie et d'engagement autrement qu'en termes radicaux.

La vie est radicale.

La vie, c'est couper dans le vif! Un jour, tous, on devra couper dans le vif de la vie et prendre une décision. Tu pars ou tu restes. Tu quittes la famille ou tu demeures l'enfant qui cherche ses parents. Tu couves tes enfants comme la poule couve son œuf, sachant que tu leur nuis, ou tu les pousses en bas du nid. On avait demandé à l'auteur du téléroman *L'héritage*, de Victor-Lévy Beaulieu, pourquoi le père mourait à un certain moment. Il avait répondu : « Il faut que le père meure pour que les enfants vivent. »

En affaires, pourquoi y a-t-il tellement de problèmes à faire passer une entreprise du père fondateur au fils, qui ne demande qu'à prendre la relève ? N'est-ce pas la peur du père, l'hésitation du père à prendre la décision de partir, de mourir, quoi ?

J'admire d'ailleurs avec quelle sagesse M. Jean Coutu a su, après réflexion, certes, remettre les guides de l'entreprise de pharmacies d'escompte à son fils François. Le père est « mort ». Mais pour lui, j'en suis sûr, c'était un geste radical. Et on a raison de dire que le père est revenu. Il est revenu donner le coup de main requis ! Cela ne veut pas dire qu'il a renié le geste fait il y a quelques années de se retirer de l'action. Au contraire, cela le renforcit car ils sont plusieurs adultes à pouvoir rectifier la situation et prendre les affaires bien en mains.

Vous savez ce qu'on disait après la mort du célèbre monsieur de La Palice qui nous a laissé tant de « belles vérités » ? Les gens qui l'avaient assisté jusqu'à l'extrême-onction déclarèrent que, « vingt minutes avant sa mort, La Palice était encore vivant... »

C'est grâce à cette déclaration-choc que le pauvre homme entra dans la légende et, depuis ce jour, chaque fois qu'on prononce une évidence frappante, sa mémoire est évoquée.

Et, malgré tout, cette première vérité de La Palice entre difficilement dans l'esprit de beaucoup de gens, aujourd'hui ! Ils ont tendance à oublier qu'ils sont en vie, que la vie est là à 100 % tant qu'elle n'est pas terminée !

La vie continue pourtant. Ils continuent de vivre, de manger, de boire, de dormir, d'aller au travail, de regarder leurs émissions préférées, etc. Mais il faut encore les réveiller pour leur dire que la vie est là, à 100 % !

Le malheur de ces gens, c'est qu'en tant qu'êtres humains, ils ne s'engagent pas à 100 %. Ce 100 %, c'est la vie seule qui se charge de le donner. Ils la regardent passer comme une vache qui regarde passer le train. Ils se laissent porter par les événements au lieu de prendre en mains eux-mêmes leur destinée, de vivre avec détermination !

Votre vie est là, à 100 %. Chaque minute qui passe est un nouveau moment de votre vie. Êtes-vous engagé à 100 % ?

Les promesses de la tête

L'engagement ne serait pas réel s'il ne reposait pas sur une base réelle. Et la seule base réelle, c'est le moment présent qui peut vous l'apporter. Hier n'existe plus, demain n'existe pas encore ; l'engagement ne peut donc prendre forme qu'entre les deux, aujourd'hui.

Les gens aujourd'hui ont tendance à « vivre » au contraire dans le futur. Je mets « vivre » entre guillemets, car ce moment futur n'est qu'une abstraction de l'esprit. On ne vit pas dans l'avenir, cela va de soi.

Mais on peut en revanche se comporter exactement comme s'il en était ainsi. C'est-à-dire tomber dans l'inertie et se laisser envahir par toutes sortes de fabulations sur ce que l'avenir nous réserve en bien ou en mal.

Il peut en résulter un véritable fouillis mental si l'on n'y prend garde. Mais la plupart des gens évitent cet écueil en donnant une allure rationnelle à leurs fabulations. Et c'est alors que tout à coup celles-ci se transforment en promesses.

Frank Tippett a été l'un des plus éminents journalistes américains des derniers cinquante ans. Il a collaboré aux magazines *Time* et *Business Week*. Il s'intéressait beaucoup à la vie quotidienne des gens en Amérique. En l'an 2000, il publia un recueil des ses essais et articles dans lequel je me souviens avoir lu cette statistique surprenante au sujet des Américains : 64 % des Américains vivent aujourd'hui dans les mêmes conditions qu'à leur naissance. Ce qui veut dire que la majorité d'entre eux s'est contentée de subir une réalité, sans même essayer d'y changer quoi que ce soit. La statistique doit être valable chez nous.

Mais à travers ce dur constat, combien de promesses, combien de beaux rêves d'avenir n'ont jamais connu de réelles tentatives de réalisation ?

Combien de ces Américains se sont vraiment engagés à les tenir ? Combien ont préféré, au Québec, au lieu de s'engager, tuer leur rêve et laisser le temps passer ? En bon français, on disait : « On va attendre voir ! » Et on a vu la vie passer. Combien de petites entreprises n'ont pas su prendre à temps les décisions qui s'imposaient ? Je suis toujours surpris de voir des gens ouvrir un commerce et passer à l'action. Ils commencent par louer un local, se font imprimer du papier à lettres, des cartes de visite, ils préparent un petit dépliant qu'ils feront distribuer aux 5000 portes du voisinage, mais ils oublient de passer à l'action et de vendre leurs produits. Ils ne les offrent même pas à leurs voisins et amis. Les gens qui entrent dans leur local sont reçus avec une indifférence glaciale et l'éternelle question : « Est-ce qu'on peut vous aider ? »

Mais dans le fond, ces gens ont ignoré l'engagement qui précède l'action de vendre ! Ils ont tout simplement promis d'essayer !

La tête promet, le cœur s'engage !

Inutile de m'étendre en long et en large sur ce que valent les promesses. Vous le savez aussi bien que moi pour avoir écouté maintes fois les discours des hommes politiques en mal d'électeurs. Et les promesses d'ivrogne, que vous avez dû entendre souvent au cours de votre vie, n'ont sans doute pas plus de sens dans votre esprit que le bourdonnement d'une mouche.

Mais en y pensant un peu, vous serez frappé de vous apercevoir que la promesse révèle au fond beaucoup de choses sur notre attitude. Pourquoi fait-on des promesses, au fond ? Quand on promet, ne dit-on pas en un sens : « Ne vous en faites pas, demain vous aurez ceci ou cela » ?

N'est-ce pas une façon de se rassurer sur l'avenir ?

En ce sens, la promesse peut prendre plusieurs formes. Dans la vie de tous les jours et dans la société, elle peut même être pernicieuse.

Le contrat de mariage, par exemple, qui devrait exalter l'union entre deux êtres qui s'aiment, ne sert-il pas en réalité à prévenir les « dégâts éventuels », à rassurer les époux l'un par rapport à l'autre grâce à une pléiade de clauses protectrices ?

On entre de plus en plus dans le mariage comme ces gens qui achetèrent la ferme du vieil homme, en Abitibi : au cas où ça ne marcherait pas... Et l'on prévoit tout en conséquence ! L'imprévu ? On s'efforce de le ramener à des bagatelles, jusqu'au jour où le fameux contrat est rompu et révèle ce qu'il était : une vulgaire promesse.

Dans le même esprit, on pourrait parler de plusieurs sortes de contrats qui ont cette prétention de mettre l'avenir en boîte.

Mais la forme la plus pernicieuse que peut prendre la promesse est sans doute cette chose qui a pris tant d'ampleur au Canada et qu'on appelle pompeusement les « études ».

Les Canadiens comptent parmi les gens les plus studieux de la planète ! Mon Dieu qu'on a fait des études ! Tout à coup, dans une organisation, quelqu'un se lève et proclame bien haut qu'il faut absolument passer aux actes au plus tôt et que la première étape consiste à acheter le terrain. Aussitôt en chœur plusieurs rétorquent qu'il ne faut pas aller trop vite. Au cas où ce ne serait pas le bon terrain. Non ! Eux suggèrent d'abord de faire une étude sur l'infrastructure du milieu et sur le mouvement démographique de la région. Et pendant que l'on termine l'étude, on apprend quelques semaines plus tard que le terrain a été acheté par un groupe de Japonais qui commenceront la construction du supermarché dans un mois. La réaction de tous : une colère contre ces étrangers qui viennent nous couper l'herbe sous le pied.

Il y a une vingtaine d'années, on fit des études pour savoir si l'on pouvait exporter notre gaz naturel vers les pays d'Europe. Le transport par bateaux méthaniers, la construction de ports en eaux profondes, les conditions du marché européen, tout fut passé au peigne fin. Des piles et des piles de rapports ! Quelque trente ans plus tard, on fait des études de plus en plus complexes. Je ne dis pas qu'il ne faille pas prendre soin de l'environnement puisque les dernières études traitaient de cette dimension. Mais à un moment donné, il faut sauter dans l'eau, il faut partir !

Pour en arriver où ?

Depuis, les Russes ont construit leurs propres pipelines... On aurait eu largement le temps de les battre de vitesse et de prendre notre part de ce marché en pleine progression ; de mettre nos bateaux sur le trajet avant même qu'ils aient pu poser un seul boulon à leurs installations. Mais on a préféré continuer à « étudier » la question, au cas où ça ne marcherait pas. Et ça continue !

Tout ce paquet de belles feuilles n'était qu'un paquet de belles promesses. Et ce n'est qu'un exemple parmi des milliers d'autres.

On économiserait une fortune à l'échelle nationale si, au lieu de se chauffer au mazout ou au gaz, on utilisait comme combustible tous les rapports publiés !

Certains souriront de cette boutade tout en s'empressant d'ajouter que les choses sont parfois compliquées et qu'il faut bien étudier la question avant de s'engager. Mais la vérité, c'est qu'on peut trouver la complication partout où on la cherche, et d'autant plus facilement que la peur d'agir est grande. Étudions en profondeur tout ce qui entre dans la recette d'une omelette, jusque dans les moindres détails microscopiques, faisons des études complexes de faisabilité et, bientôt, plus personne n'osera casser des œufs !

Nous avons le cerveau hypertrophié.

La machine à promesses fonctionne à plein rendement.

On dit souvent « s'engager à tenir ses promesses ». Mais c'est en réalité placer dans la même phrase deux choses complètement différentes. La promesse n'est pas un engagement, et l'engagement n'est pas une promesse. Un engagement, c'est un sentiment qui se vit au présent. C'est également un savoir, oui, mais un savoir branché sur le cœur. Ce qu'on sait de la vie et ce qu'on sait par rapport à ce qu'on veut en faire se perdent en fabulations dans la promesse, mais s'ordonnent en actions dans l'engagement.

L'engagement est la force qui détermine nos actes.

On promet avec la tête. On s'engage avec le cœur.

La promesse essaie de mettre l'avenir en boîte. L'engagement, au contraire, accepte la vie et sa nature imprévisible. Son point de départ, c'est aujourd'hui, pas demain. Il est à l'image de la vie, de votre cœur !

L'engagement, un reflet du cœur

Les gens de tout acabit charrient tellement d'idées fausses sur le sens de l'engagement qu'il serait bon de liquider la question une fois pour toutes. Enflammés par la lecture de ce chapitre, certains pourraient en effet sauter en bas de leur chaise et courir au plus proche bureau de l'armée canadienne pour s'« engager ». Ou certains autres, choisissant une association ou un quelconque parti politique, pourraient sortir aussitôt leur portefeuille pour acheter une carte de membre.

Après quoi, de retour à la maison, avec leur carte, leur feuille de recrutement ou tout ce qui pourrait leur paraître un signe tangible d'engagement, ils n'auront de cesse de les admirer en disant : « Ça y est, me voilà engagé ! »

Se faire recruter par l'armée, par un parti ou par une quelconque association n'implique pas forcément un engagement. Un futur membre qui se présente au bureau de recrutement d'un parti avec l'intention de s'engager ignore au fond le vrai sens du mot. Car avant de faire ce geste, il aurait fallu que l'engagement prenne forme en lui-même, qu'il ait déjà la conviction des idées que défend ce parti. Dans le cas contraire, il ira tout bonnement rejoindre un troupeau de moutons, qui ne seront là que pour élire un chef !

La même réflexion s'applique à ceux qui essaient de se faire embaucher par une entreprise ou de se tailler une place parmi les membres d'une association. On peut d'ailleurs être une personne très engagée sans pour autant faire partie de quoi que ce soit, sans que cet engagement se traduise par de grands défis politiques ou sociaux, mais plutôt par le quotidien, le mariage, l'amour d'un métier ou d'une vocation.

Pourquoi pas ? Absolument !

Il ne saurait y avoir de formes strictes, de formes rigides d'engagement. Cette forme, c'est en votre cœur qu'elle se dessine.

Vous voulez un exemple d'engagement du cœur bien de chez nous ? Le cardinal Paul-Émile Léger, décédé en 1991 à l'âge de quatre-vingt-sept ans, l'a personnifié à 100 %. Malgré ses défauts, on en a tous, voici quelqu'un qui a compris que c'est le cœur qui s'engage, qui relève le défi d'être celui qui saura faire de sa vie quelque chose de plus grand, de plus immense que le simple petit gars de Saint-Anicet ne l'avait jamais rêvé. Il s'est engagé, et cela, toute sa vie. Même dans la soixantaine, il réajuste son tir et, quittant toute la pourpre de l'état cardinalice, il devient, de 1967 à 1979, simple missionnaire en Afrique pour aider les plus pauvres, les plus déshérités. Si on s'engageait, même en plus petit, dans la vie comme lui l'a fait, quelle différence cela ferait !

Un mariage d'enfants

Il est intéressant de voir des membres d'une association ou d'un parti crier leur engagement sur tous les toits comme s'ils en avaient le monopole. Mais ce qui me rend surtout perplexe, c'est de m'apercevoir, en y regardant de plus près, que beaucoup d'entre eux ont rejoint les autres en croyant dissimuler leurs faiblesses sous la force du nombre.

Cela explique peut-être pourquoi tant d'associations sont créées dans le but de protéger leurs membres et non pas dans celui d'arrimer leurs forces, de créer, de bâtir des choses, au lieu de toujours chercher à défendre des droits acquis.

Ce genre d'association ressemble à un mariage d'enfants. Des enfants qui ont peur et qui cherchent à se rassurer, qui essaient puérilement de contourner les difficultés de la vie et qui se renfrognent dans une attitude défensive, tous les deux ensemble à l'abri des regards des autres.

Encore de nos jours, le Collège des médecins prend les mesures nécessaires pour empêcher les gens qui désirent pratiquer les médecines douces. Il ne faut surtout pas que cette noble association s'ouvre à d'autres réalités, ou du moins pas trop. Il ne faudrait pas qu'elle incite ses membres à puiser de l'inspiration ailleurs que dans les gros livres de médecine. Il fallait sauvegarder la profession et « protéger les patients », selon la formule admise. Combien de médecins oncologues ont levé un regard méprisant sur le livre du docteur Bernie Seagal, *Love, Medicine & Miracles*. C'était pourtant l'un des leurs, un grand spécialiste en cancer. Pourtant, quelle richesse dans ce bouquin qui ose aller plus loin, sortir du champ restreint de la science médicale !

C'était un mariage d'enfants.

Le Barreau du Québec allait plus loin encore en interdisant aux jeunes avocats de s'associer aux psychologues pour la pratique du droit matrimonial. Cela a été corrigé depuis. On craignait de perdre l'exclusivité des questions d'ordre juridique.

Un autre mariage d'enfants.

Mais, entre-temps, le syndicat de la FTQ incite ses membres à ne plus regarder le patronat comme un ennemi, mais comme un partenaire éventuel, et à investir autant que possible dans l'entreprise qui les emploie. Les fonds de placement de la FTQ et de la CSN sont là pour le prouver. Oh ! ce n'est pas parfait ! C'est une ouverture, une possibilité d'un mariage d'adultes !

Et pourquoi ces mariages d'adultes ont-ils cette vision constructive qui manque de toute évidence aux mariages d'enfants ?

C'est que leurs membres sont engagés dans le vrai sens du mot, ils ont chacun la conviction personnelle de leur engagement.

Que dire de la grande question de nos jours : faire ou ne pas faire d'enfants ? J'ai relevé une réponse à cette question qui m'a touché profondément.

Il s'agit d'une économiste, mère de trois enfants, qui a osé écrire dans le journal *La Presse* ce qui suit : « Je constate à quel point les médias mettent davantage l'accent sur la femme au travail que sur la famille en général... Faire un enfant, c'est une question de cœur (d'engagement) et non de raison (promesse). L'acte procréateur est un peu déraisonnable et demande le goût de se risquer : ce n'est pas chose facile que de s'assumer et de vivre tous les jours avec le produit de son union. » On pourrait ajouter que l'enfant résulte d'un mariage d'adultes. C'est avant tout une question d'engagement, d'être capable de dire oui et d'en assumer toutes les conséquences. Car s'engager veut dire qu'on est prêt à subir ce qui va s'ensuivre. Mais cela n'arrive qu'à l'âge adulte, quand l'enfant en nous cesse de tout désirer et cède la place à l'adulte qui sait sauter à pieds joints dans l'aventure.

Pas demain, pas l'an prochain... maintenant !

À tous ces principes s'en ajoute un autre sans lequel l'engagement n'existerait pas : l'action immédiate. J'emploie en réalité une expression française pour traduire tant bien que mal ce que les Américains appellent l'*immediacy*.

Certains ont dû être frappés en lisant les deux mots « action immédiate ». Ils ont dû se dire, en se voyant assis calmement sur leur chaise : « Encore une belle pensée ! Jean-Marc Chaput a beau dire, je ne peux quand même pas me catapulter dehors et aller régler tout de suite tel ou tel problème ! »

Mais ce qu'ils ignorent peut-être, c'est qu'en lisant ce livre, ils font bel et bien de l'*immediacy*. C'est déjà une forme d'action qui peut en amener d'autres. L'*immediacy* est un sentiment du moment présent et de toutes les possibilités qu'il comporte !

Il ne s'agit pas de s'acharner à faire immédiatement ce qu'on ne peut pas encore faire, mais de faire maintenant ce qui est à notre portée.

Il y a plusieurs années, je suis tombé sur un article étonnant[26]. Alain Lemaire, de la compagnie Cascades, y prodiguait ses conseils à ceux qui voulaient se lancer en affaires :

« Bien s'analyser avant toute chose, écrivait-il. Se regarder à fond dans un miroir.

S'aimer.

Recueillir l'accord de son entourage immédiat.

Aimer l'autre.

Effectuer une recherche de base, mais pas trop exhaustive, ce qui pourrait plutôt vous empêcher de démarrer.

En mettre moins côté tête et davantage côté cœur.

Toujours tenir compte de l'imprévu ; il y en aura toujours.

Accepter la nature imprévisible de la vie.

Avoir une idée réalisable maintenant, pas en l'an 2020 !

Suivre le principe de l'*immediacy* ! »

Combien de fois avez-vous remis à plus tard ce que vous pouviez faire aujourd'hui ?

---

26. *Les Affaires*, janvier 1987.

Ils veulent un traversier, et ça presse !

Il y a plusieurs années, dans les années 1960, les habitants de Matane, dans l'est du Québec, demandèrent au gouvernement fédéral de leur fournir un traversier pour faire la navette entre les deux rives du fleuve.

On leur promit d'étudier la question. Un peu enragés et impatients, les habitants firent pression, sans plus de résultats. Ils décidèrent alors de faire un geste immédiat. Ayant appris qu'un bateau traversier était à vendre sur la côte Ouest, ils amassèrent les fonds nécessaires et l'achetèrent ; après quoi, ils relancèrent le gouvernement : « Ça y est, on a le traversier ! dirent-ils. Maintenant, on a besoin d'un quai ! »

Leur geste avait-il impressionné les « pousse-crayon » du gouvernement ?

Toujours est-il que, peu de temps après, le fameux quai était en chantier !

Voilà en quoi consiste l'*immediacy*, tel que vous pourriez le vivre à travers le quotidien, la vie sociale, la vie privée et dans toute chose dans laquelle vous êtes engagé : en un sentiment du moment présent qui pousse à faire maintenant ce qu'on peut faire… maintenant !

Le docteur Bernie Seagal, oncologue américain, avait l'habitude de dire à ses patients atteints du cancer et pour qui, selon la science médicale, les jours étaient comptés, qu'il y a quelque chose de pire que de mourir, c'est de ne pas vivre pleinement les derniers moments de sa vie. Cette urgence du moment présent est celle qui presse les gens à agir immédiatement.

D'ailleurs, n'est-il pas vrai que le *Journal de Montréal* a été fondé en quarante-huit heures ! Pourquoi ? Parce qu'à ce moment-là, *La Presse* était en grève, et que les circonstances étaient propices à la création d'un nouveau journal. Mais il fallait le faire immédiatement. Combien d'entreprises ne sont jamais nées parce qu'on a hésité trop longtemps !

Rappelez-vous l'histoire du vieillard qui, dans son bégaiement, appelait le taxi qui passait à bonne allure. Il disait : « Ta... Ta...Ta...Tabarnouche, je l'ai manqué ». Ceux qui font les parades partout, ce sont eux qui commencent immédiatement.

Donner l'heure juste

L'engagement est radical par définition. Je dirais même qu'il s'agit d'une forme de folie amoureuse ! Et sa nature radicale vous amène tout naturellement à développer un esprit de franchise, à donner l'heure juste.

Quand on est engagé dans le vrai sens, on n'est pas porté à mentir aux autres ni à soi-même, quitte à admettre une réalité qui nous désavantage.

Il y a longtemps, dans la Rome antique, on tuait le messager porteur de mauvaises nouvelles. Quand le pauvre homme descendait de son cheval avec une nouvelle catastrophique en poche, on lui faisait subir les pires supplices sans ménagement.

De nos jours, on n'exécute plus les messagers de mauvais augure. On se contente, dans certains cas, de leur laver un peu le cerveau ou, en désespoir de cause, de leur montrer la porte.

On sait combien les gens ont été scandalisés par les révélations de l'enquête du juge Gomery. Des gens malhonnêtes avaient profité du système pour s'enrichir, pour verser des commissions faramineuses, des pots-de-vin. Défiant les lois du Québec, pensez seulement à cet organisateur politique se promenant avec un gros sac de papier brun rempli de billets de banque et les distribuant aux différents bureaux des candidats. Pensez à ce conseiller financier, Vincent Lacroix, qui a trompé et volé des milliers d'épargnants et qui ose prétendre qu'il n'a trompé personne. On déteste ces gens qui ne disent pas la vérité !

Combien d'entre nous ont à cœur d'être sincères envers et contre tout ? Sincères avec nous-mêmes, avec les autres et avec les faits ?

Comment s'engager sur la base d'un mensonge ou même d'un pieux mensonge ?

« La vérité, rien que la vérité et toute la vérité ! » disait Marcel Dutil.

Peut-être faudra-t-il se rappeler ce qui suit :

Les données ne sont pas les faits.

Les faits ne sont pas l'information.

L'information n'est pas la connaissance.

La connaissance n'est pas la vérité.

La vérité n'est pas la sagesse.

Toute décision, même celle de fonder une entreprise, même celle de devenir vendeur, basée sur les données et les informations recueillies, peut être déléguée à un autre.

Toute décision exigeant des données et des informations, mais en plus des connaissances, en est une pour laquelle on peut former des gens intelligents qui sont capables de prendre des décisions.

Enfin, c'est dans le domaine de la vérité et de la sagesse que les décisions critiques se prennent. C'est là que l'engagement jusqu'aux tripes, que l'appel à l'intuition est très important, mais encore faut-il ne pas craindre l'heure juste qui mène à la sage décision.

Gardez le contrôle

L'aspect contrôle a une importance considérable dans l'engagement. Juger de nos progrès, juger de nos réalisations ou du chemin parcouru, voilà des choses que nous sommes amenés à faire à un moment ou à un autre.

Un jour, alors que Gaétan Boucher, le patineur de vitesse, terminait son tour d'entraînement sur la patinoire, le gars chargé de le chronométrer lui lança d'un air sceptique : « Tu pourrais faire mieux ! La première fois, t'avais un bien meilleur chrono. »

La plupart des gens auraient fait avaler le chrono en question à cet entraîneur ! Après tout, c'est bien facile de parler quand on tient le chrono et qu'on regarde l'autre se démener comme un diable sur la glace. Mais Gaétan Boucher est demeuré silencieux. Il a tout gobé sans dire un mot et s'est contenté de reprendre l'entraînement.

Le gars au chrono avait dit la pure vérité. Et le patineur l'a acceptée telle quelle.

Atteindre l'excellence était son rêve le plus cher. Il ne reculait devant aucun contrôle. Il l'atteignit lorsqu'il remporta les médailles d'or[27] !

Mais l'aspect du contrôle est malheureusement ce qui effraie le plus quand on parle d'engagement. Parlez-en aux gens qui suivent un régime sévère pour perdre du poids. J'en sais quelque chose : j'ai perdu il y a quelque trente ans plus de trente-cinq kilos en trois mois. Je me revois, le matin, seul dans la salle de bains, monter sur le pèse-personne. S'il indiquait une diminution de poids par rapport à la fois précédente, je mettais pied à terre, tout fier, comme si je venais d'accomplir un exploit. Mais

---

27. Gaétan Boucher a remporté sa première médaille en 1976, à dix-sept ans. Il est devenu un héros national aux Jeux de 1984 à Sarajevo quand il a remporté deux médailles d'or et une de bronze.

si, au contraire, il m'indiquait une augmentation, alors j'en redescendais, réajustais l'instrument, y remontais, le réajustais une deuxième fois. Piteux, je me disais : « Ces machines électroniques, ça ne fonctionne qu'à moitié. Peut-être que les piles sont trop faibles. Ou c'est le plancher qui est trop froid, ou trop humide, qui influence la machine ! » Je m'élevais contre le contrôle du pèse-personne. Pourtant, tout ce qu'il me disait, c'était la vérité : quand tu bois de la bière et mange des arachides le soir, le lendemain, l'instrument ne te donne pas ton poids sans les arachides et la bière ; il te le donne dans toute sa crudité.

Vous n'avez pas idée, par exemple, des absurdités que peuvent parfois vous sortir certains patrons à propos de l'excellence de leur compagnie. Il y a quelques années, je prononçais une conférence aux États-Unis devant les embouteilleurs américains de boissons gazeuses. Vous vous demandez sans doute comment on peut faire des discours sur un sujet pareil. Moi aussi ! Et c'est pourquoi j'avais mené une petite enquête à l'avance auprès des plus gros embouteilleurs de boissons gazeuses. Je voulais en savoir davantage sur leur conception de l'excellence, leurs critères de qualité.

« Ah ! l'excellence ! s'était exclamé le vice-président de cette compagnie. Ah ! vous n'avez pas idée de notre excellence !

– Mon Dieu, ça m'a l'air formidable. Qu'est-ce que c'est ?

– C'est simple, dit-il. C'est .0014.

– Et ça veut dire quoi, .0014 ?

– Alors là, tenez-vous bien. Ça veut dire que vous avez une chance sur quatorze millions de bouteilles de retrouver une bibite dans nos bouteilles... »

Nous nous sommes regardés bien sérieusement. Son sourire s'était figé. J'étais sûr qu'il me montait un bateau.

Mais l'homme était bel et bien sérieux. Ce chiffre ridicule de .0014 semblait tellement lui tenir à cœur qu'on imaginait très bien l'employé surveillant le passage des articles sur la courroie mécanique afin de glisser une mouche dans la quatorze millionième bouteille !

Une compagnie sérieuse ne laisserait pourtant pas passer les mouches. Et si, par malheur, une mouche apparaissait au fond de votre bouteille, elle ne chercherait pas à contourner le problème avec une histoire de .0014. Une seule chose doit être importante aux yeux de cette compagnie, c'est que vous, le client, vous ayez bel et bien 100 % de votre boisson autour de la mouche. Pourtant, comme consommateur, ce que j'ai, c'est 100 % du produit contaminé par un insecte et non .0014 % !

Un manufacturier américain commanda un jour une série de pièces à une compagnie japonaise, en spécifiant bien que le taux d'articles défectueux ne devait pas excéder trois sur mille.

Il reçut plus tard sa commande, emballée par paquets de mille dans de grosses caisses avec, en boni, un petit sac à part contenant... trois pièces étiquetées « défectueuses ».

« Cher monsieur, expliquèrent les Japonais dans une lettre accompagnant l'envoi, nous avons départagé les mauvaises pièces des bonnes, afin de ne pas nuire à la qualité de votre production. Mais nous serions bien curieux de savoir ce que vous allez faire avec les pièces défectueuses... »

L'Américain était tellement ébahi qu'il décida de consacrer un ouvrage au phénomène.

* * *

En tournée dans un coin de la province, un ministre de l'Agriculture décida de faire un crochet pour assister à la dernière étape de la fabrication, dans une fromagerie reconnue pour son fameux cheddar. Mais quand il entra enfin dans la fromagerie, il était trop tard. L'opération était terminée. L'usine était toute propre et rien ne bougeait.

Les conseillers du ministre étaient furieux :

« Vous auriez bien pu patienter quelques minutes, lancèrent-ils au vieux fromager.

– Si je vous avais attendus, répondit ce dernier avec un sourire, ce ne serait plus du cheddar de grande qualité, ce que mes clients exigent ! »

Auriez-vous été si ferme à la place de ce fromager ?

Sinon, c'est que vous n'êtes peut-être pas tout à fait engagé.

Engagez-vous à 100 %.

L'abc pratique de l'espoir

Vous savez ce qui est à la fois merveilleux et terrible dans un certain sens ? C'est que nous pensons avec des mots ! C'est merveilleux parce que les mots mettent en forme nos sentiments. C'est terrible parce qu'il arrive aussi que ces mêmes sentiments se trouvent ainsi limités, piégés, quand la langue se fait trop rationnelle et limitative.

À titre d'exemple, un mot qui, à mes yeux, recèle une immense signification : le mot « espoir ».

À écouter les gens, j'ai parfois l'impression qu'ils ne peuvent prononcer ce mot sans évoquer du même coup l'idée de désespoir. Vous les entendez dire : « Il faut espérer... » avec une boule dans la gorge, voulant dire par là qu'ils regrettent simplement de ne pas avoir la certitude de ce qui va advenir. L'espoir, pour eux, fait partie d'un vieux vocabulaire romantique et ils préfèrent de beaucoup le remplacer par le mot « probabilité ». D'ailleurs, n'est-ce pas l'espoir qui produit ces miracles que l'on voit à Lourdes et à Fatima ? Cet espoir basé sur une foi profonde, cet espoir de guérir à tout prix, pousse l'organisme humain à se reprendre en main, à corriger son tir.

Beaucoup d'autres mots, y compris le mot « cœur », qui a traversé toutes les pages de ce livre, se trouvent ainsi amputés dans leur sens. En fait, leur signification dépasse de très loin celle que la plupart des gens lui donnent.

Ce qu'on appelle communément espoir, bien loin d'être une belle promesse, est en réalité un esprit d'ouverture face à l'avenir.

L'espoir travaille dans le concret.

Ce n'est pas une fabulation consistant à sauter les années pour se voir riche, heureux, à la tête d'une entreprise, au sommet d'une carrière ou n'importe quoi d'autre. C'est un effort mental qui part de la réalité immédiate, celle que vous vivez aujourd'hui, pour l'« extensionner » !

Avoir les mains vides et s'imaginer à la tête d'une fortune colossale, ce n'est pas « extensionner » la réalité, mais se bercer au contraire avec une belle promesse. La perspective sera complètement changée si, au lieu de viser une somme astronomique, vous espérez simplement en avoir plus, ce qui sera pour vous un signe que vous progressez.

Être atteint d'une leucémie grave et se voir courir le marathon dans une forme superbe, c'est aussi en un sens une belle promesse. Viser une régression de la maladie, une amélioration de son état, c'est au contraire « extensionner » la réalité.

Plus rien à perdre, sauf la vie !

Je parle un peu en connaissance de cause. Ma femme a vaincu le cancer alors que les médecins la condamnaient. Et j'ai aussi le souvenir troublant de mes visites au centre Carlton-Auger de Québec, où résident les patients atteints de cette grave maladie. Ils étaient une centaine devant moi. Une jeune fille de dix-sept ans arborant un bandeau sur la tête pour cacher sa calvitie. Un homme d'une cinquantaine d'années, portant sur le corps des marques de crayon rouge servant à la radiothérapie pour ne pas avoir à les refaire chaque fois qu'il devait passer devant le rayon. Des jeunes et des vieux qui, contrairement à beaucoup, semblaient n'avoir plus rien à perdre. Et à travers tout cela, pourtant, des regards d'une profonde intensité...

Ces hommes et ces femmes connaissaient mieux que personne la valeur de la vie. Ils avaient appris à vivre au jour le jour, à « extensionner » la réalité.

C'est dans la réalité immédiate, dans les moindres petites choses du quotidien, qu'ils puisaient non pas un réconfort, non pas un prétexte pour s'apitoyer, mais l'envie d'aller plus loin, d'améliorer leur condition.

Pour saisir cette grande vérité, faut-il donc être gravement malade ? Toute perfection s'atteint par la théorie des petits pas qui, à la longue, extensionnent la réalité. Les Japonais l'ont trouvé. Ils ont même un mot qui le décrit : Kaizen. Quoiqu'ils ne nient pas les progrès réalisés par des percées majeures, ils croient et encouragent les petits pas qui, s'ajoutant les uns aux autres, en font de très grands.

C'est ainsi que chaque année, dans ses boîtes à suggestions, la compagnie Toyota reçoit quelque 2,6 millions d'idées nouvelles, soit en moyenne 60 par employé par année. Elle en met 95 % en application. Certains impliquent des changements majeurs qui apportent de grandes améliorations. Mais la plupart sont très limités. Pourtant, avez-vous pensé à multiplier par 2,6 millions une petite idée ? Le produit est gigantesque. Il est plus facile de trouver 100 personnes qui sauront améliorer de 1 % la production que de trouver la personne qui l'améliorera de 100 %. Les magiciens sont merveilleux, mais s'y fier à 100 % ne l'est pas. Si l'un des 100 employés a une mauvaise journée, il reste toujours 99 % des chances de l'améliorer. Mais si le magicien a une mauvaise journée...

L'âge d'or ou l'âge dort ?

D'un coin à l'autre du pays, il m'arrive souvent de m'arrêter dans les associations de l'âge d'or pour y prononcer quelques conférences.

J'y rencontre des gens qui ont sensiblement mon âge, d'autres plus âgés et même très âgés et, dans leur façon de parler et de regarder les choses, je découvre parfois une image amoindrie de la vie. Comme si l'espoir n'appartenait qu'à la jeunesse et que cette merveilleuse capacité d'« extensionner » la réalité s'estompait avec le temps.

Je dis cela sur un ton un peu déçu, car s'il est vrai que la vieillesse gagne du terrain aujourd'hui, il n'en est pas moins vrai que ces gens ont énormément de choses à apporter sur tous les plans, et qu'une société ne peut se passer de leur engagement.

Un certain Phil Latulippe, de la petite ville de l'Ancienne-Lorette, décida un jour de prouver qu'il y avait de l'espoir, que l'espoir était là, pour tous et à tout âge ! Pour cela, il eut cette idée folle de courir de Shawinigan jusqu'en... Alaska. Quatre mille deux cent quarante-six milles de distance, à raison de 40 milles par jour, 7 jours par semaine et 125 jours de suite ! Il avait même engagé un jeune pour le suivre au volant de sa voiture. Mais ce dernier s'étant découragé, ce fut son épouse qui prit la relève. Et le couple continua ainsi sa folle équipée jusqu'aux confins du Grand Nord[28].

Phil Latulippe avait soixante-cinq ans au moment de cette folle équipée. Son geste paraît si fou qu'on pourrait hésiter à le donner en exemple. Mais je le donne.

Pourquoi ne pas « extensionner » ses capacités !

---

28. Phil Latulippe a peut-être inspiré le scénariste du film *Forrest Gump*.

Une orgie de carottes

Voici un autre exemple, peut-être plus sage : les carottes.

Les producteurs de carottes du Québec ont toujours fait face à un curieux problème qui est d'ailleurs le lot de beaucoup de cultivateurs : plus ils en produisaient, plus les prix baissaient et, quand les prix montaient durant l'hiver, ils n'avaient pas de quoi répondre à la demande. Telle était la réalité.

Il y a une vingtaine d'années, sept producteurs de carottes décidèrent d'« extensionner » cette réalité.

Au lieu d'aller demander au gouvernement de contrôler la production et les prix ou, pour employer une expression savante qui revient au même, « gérer l'offre », ils se mirent ensemble pour fonder la Société agricole des producteurs et emballeurs de carottes. L'idée était simple : trop de carottes en été ? Alors vendons-en à la Floride et à la Californie ! Pas assez de carottes en hiver ? Alors achetons-en là-bas et revendons-les ici ! D'un chiffre d'affaires de 130 000 $ la première année, ils passèrent sept ans plus tard à un chiffre d'affaires de 3 295 000 $, soit quatre cent mille sacs de carottes de cinquante livres !

Et, en passant, la SAPEC n'a pour fondateur qu'un seul Québécois, suivi par deux Français de Bretagne, un Français d'Orléans et trois Hollandais, tous producteurs de carottes !

Il y a énormément de choses dans le mot « espoir ». C'est un petit mot à l'allure anodine, mais qui renferme en réalité tout ce qui est possible.

Quel que soit l'aspect de la réalité, vous pouvez l'« extensionner » !

Mais cette détermination à tirer le meilleur de la vie passe par votre engagement à 100 %. Embarquez-vous !

Épilogue
Aller au fond des choses

Il y a quelque temps, aux États-Unis, on a fait enquête auprès de 3000 étudiants pour savoir quelle était, selon eux, l'image du bonheur. La réponse de la grande majorité fut à la fois simple et surprenante. On est accoutumé à voir le bonheur comme un summum, comme l'expression d'un désir extrême ! Au contraire, pour ces jeunes, le bonheur se résumait tout simplement à quatre petits mots : atteindre des buts réalisables.

Serait-ce la raison pour laquelle les gens sont plus enclins au bonheur avec l'âge et l'expérience des années ? Dans la mesure où ils auraient développé cette sagesse qui permet de distinguer, entre plusieurs buts, ceux qui sont réalisables et ceux qui ne le sont pas, ceux qui sont souhaitables et ceux qui sont néfastes ?

Mais la question peut s'avérer plus profonde : Comment juger de vos buts sans avoir une certaine conception de la vie et des valeurs qui sont les vôtres ?

Il existe une vieille légende dont l'origine remonte aux Grecs de l'Antiquité. Elle raconte l'histoire étrange d'un homme condamné par les dieux de l'Olympe à rouler une lourde pierre au sommet d'une colline.

Mais soit que la pierre était trop ronde et la surface de la colline trop lisse, soit que les dieux s'amusaient aux dépens du pauvre homme ; toujours est-il qu'à peine hissée au sommet, elle dégringolait aussitôt jusqu'en bas. L'homme redescendait alors et recommençait, sans relâche, espérant toujours la faire tenir. Il n'aspirait qu'au repos éternel et n'avait qu'une idée en tête : réussir enfin la tâche que les dieux lui avaient assignée. Mais le temps passa, il n'y parvint jamais.

Ce qui est étrange, c'est que jamais l'homme n'a remis en question la condamnation stupide qu'on lui avait infligée, jamais il ne s'est demandé : « Pourquoi suis-je ici à rouler cette pierre qui n'en finit jamais de retomber ? »

Une seule question le préoccupait : « Comment la faire tenir ? »

Il devint, en quelque sorte, prisonnier de son habitude.

Ce que je viens de raconter n'est autre que le célèbre mythe de Sisyphe sur lequel plusieurs générations de philosophes se sont penchées.

Je n'ai pas la prétention de faire toute la lumière sur ce grand mythe, mais j'ai le sentiment, en regardant les gens autour de moi, de rencontrer parfois quelques Sisyphe, des personnes qui poursuivent des buts sans jamais les remettre en question. L'argent, le succès, la réussite en ceci ou cela, autant de choses qui peuvent être bonnes, mais qui ressemblent souvent à de vulgaires carottes comme celles qu'on présente devant le museau d'un âne pour le faire avancer.

« Ne donnez pas des buts aux gens, disait le président de la compagnie Apple. Dites-leur quel chemin prendre... »

Les buts sont importants, personne ne peut en douter. Mais ils n'ont aucun sens s'ils ne jalonnent pas les étapes d'un chemin.

Car la fin ne justifie pas les moyens ! Et une fois cette fin atteinte, la vie ne s'arrête pas pour autant.

La vie est mouvement. Elle réclame l'expression de votre cœur, chaque jour et dans chaque instant qui passe, l'expression de ce que vous avez de meilleur et d'irremplaçable en vous-même !

À l'enterrement de l'un de mes amis, sur le faire-part se retrouvait, en quelques mots simples, le résumé du livre que vous venez de lire. Jacques Gagnon, fondateur des Caisses d'entraide économique, venait de mourir à bout de souffle, épuisé par des années de travail intense. Un demi-siècle de vie passionnée. Un demi-siècle à mettre en pratique cette pensée de Saint-Exupéry, qui allait devenir son épitaphe :

« Être un humain,
C'est sentir qu'en posant sa pierre
On contribue
À bâtir un monde meilleur ! »

Quand posez-vous la vôtre, votre pierre ?

Salut !

Jean-Marc

Table des matières